DU PLOMB COMME POURBOIRE
est le trois cent cinquante-troisième livre
publié par Les éditions JCL inc.

D0755908

Catalogage avant publication de Bibliothèque et Archives Canada

Du Champ d'Ail, Pinson, 1945-

Du plomb comme pourboire

(Collection Couche-tard)

ISBN 2-89431-353-5

I. Titre. II. Collection.

PS8576.A759D82 2006   C843'.54   C2006-940210-8
PS9576.A759D82 2006

© **Les éditions JCL inc.**, 2006
Édition originale : mars 2006

Du plomb comme pourboire

Collection
Couche-
tard

Les éditions JCL inc.
930, rue Jacques-Cartier Est, CHICOUTIMI (Québec, Canada) G7H 7K9
Tél. : (418) 696-0536 – Téléc. : (418) 696-3132 – www.jcl.qc.ca
ISBN 2-89431-353-5

PINSON DU CHAMP D'AIL

Du plomb comme pourboire

LES ÉDITIONS JCL

Nous reconnaissons l'aide financière du gouvernement du Canada par l'entremise du Programme d'aide au développement de l'industrie de l'édition (PADIÉ) pour nos activités d'édition. Nous bénéficions également du soutien de la SODEC et, enfin, nous tenons à remercier le Conseil des Arts du Canada pour l'aide accordée à notre programme de publication.

Gouvernement du Québec – Programme de crédit d'impôt pour l'édition de livres – Gestion SODEC

À tous ceux qui ne me liront pas,
mais qui devraient...

Avertissement

Je ne le dirai pas deux fois. Ce livre est une fiction. Il me paraît d'une miséreuse insuffisance d'affirmer comme plein d'auteurs le font que les personnages y mis en scène sont fictifs et que toute ressemblance avec des gens connus et à connaître serait purement accidentelle, coïncidence fortuite. C'est bien pire que ça. Si vous vous reconnaissez dans ce livre, vous êtes farouchement parano et il n'y a rien à y faire. Si vous y voyez le sosie de votre voisin de palier, là, vous manquez gravement à la charité chrétienne et je vous engage à vous en confesser dans les meilleurs délais. Si enfin vous croyez y retrouver quelque personne croisée dans la rue, c'est que vos prétentions en tant que physionomiste sont sérieusement vermoulues; un psy pourra sûrement vous aider.

La neuvième béatitude

*Bienheureux les auteurs qui ne sont pas lus
Car on ne leur cassera pas les pieds non plus[1].*
En vérité je vous le dis, auteurs, les lecteurs sont un fléau. Ceux qui y voient une motivation à l'écriture, un encouragement, un aiguillon à la production se trompent lourdement. Au moment même où on vous lit, on vous juge, on vous dissèque, on vous charcute. Vous n'en sortirez vivant que par miracle, et probablement très ulcéré, sinon inexorablement diminué.

On m'a appris récemment que les livres publiés sont en moyenne écoulés à raison de deux cents exemplaires par titre. Que voilà une bonne nouvelle! Comme cette statistique est douce à mes oreilles, comme elle réjouit mon cœur! C'est encore trop, j'en conviens. Mais c'est quand même moins pire que ce pourrait l'être. Et il s'agit là d'une moyenne. Lorsqu'on voit des ouvrages qui se vendent à plus d'un million de copies, cela

---

1. *Beati scriptores ignoti fuerunt, quare articulis pedum tranquillis laxati erunt.* (Extrait du *Sermon sur la montagne d'invendus*). S'il vous faut aussi la version originale en hébreu, vous me faites signe, n'est-ce pas.

signifie en même temps qu'un très grand nombre d'auteurs sont épargnés : ils ne vendent à peu près rien. C'est ceux-là que la neuvième béatitude tient à saluer et à rassurer, en leur rappelant que ce sont eux qui ont raison. Ils pourront poursuivre leur œuvre avec toute la tranquillité d'esprit nécessaire, avec toute la lucidité qu'exige l'écriture. Ils ne seront ni négativement influencés d'aucune façon ni détruits par leur lectorat.

Car il s'agit bien de destruction. Littéralement. Le lecteur, c'est un consommateur. Et, le consommateur, il n'en a jamais assez pour son argent. Il grogne insatiablement dès qu'il a d'une main mesquine et crochue allongé les dollars. Le produit est toujours trop cher, il n'est jamais d'assez bonne qualité. Le consommateur, je vous le dis en vérité, il est installé dans le paradoxe. Tiens, prenez un ouvrier non spécialisé qui travaille sur un chantier de construction ou comme manœuvre dans une grande entreprise de production : il trouve normal de gagner trente dollars l'heure et il n'éprouve aucune gêne à empocher le taux double chaque fois que l'occasion s'en présente. Demandez-lui maintenant de payer dix-huit dollars l'heure pour les services d'un mécanicien en plein congé férié, ce sera les hauts cris. Il s'autorisera même de gros mots, traitant de « crosseur »[2] l'impudent qui ose prétendre à des émoluments aussi disproportionnés.

---

2. Ce n'est pas moi qui le dis. Je l'ai ouï. Personnellement, jamais je ne me permettrais des écarts de langage aussi graves.

Le lecteur, s'il achète, dès l'instant où il paye il se met dans la disposition d'être insatisfait. Et il le sera, n'en doutez pas. Faudrait lui troquer toute la littérature contre un vulgaire bleu. Et il trouvera encore le moyen de s'indigner du trop peu. Il aura l'esprit critique aiguisé à la pierre à faux. Dès lors, si vous le forcez à chercher un mot dans le dictionnaire, vous êtes un prétentieux qui affiche orgueilleusement son érudition. Si vous l'obligez à revenir trois lignes en arrière pour comprendre une période élaborée avec application, vous êtes un cachottier qui pratique l'hermétisme. Si vous vous fendez d'une métonymie audacieuse, vous passez pour rechercher l'originalité à tout prix, quitte à tirer la réalité par les cheveux comme sa femelle le Néandertalien. Le lecteur, celui qui gonfle les chiffres de ventes, il n'en a rien à cuisiner du style, des métaphores et hypallages, de la syntaxe ou du vocabulaire. Il veut du sang, le vôtre surtout, peu lui importe le groupe ou le facteur RH.

Et ce n'est encore rien. Vous êtes publié? Votre livre tombera un jour ou l'autre entre les mains d'un journaliste. Là, ce sera le carnage. Si vous êtes mauvais, vous constituez une aubaine, un article facile pour la une. Votre bébé rejoindra en toute bonne foi quatre-vingts lecteurs dont quatre-vingt pour cent sera de vos proches, mais votre exécution publique sera vendue à cent mille exemplaires. «Ayoye», dit le pou écrabouillé par la masse de cinq kilos. Si vous êtes bon, vous froisserez l'ego du critique qui se croit meilleur et votre sort ne sera pas plus enviable. Sans compter les coulisses politiques auxquelles vous n'entendez rien, mais qui vous engloutiront sournoisement, en un déclic commandé à distance. Pouvez-vous vous douter, par exemple, que vous avez été crucifié parce que le journaliste a eu l'an dernier un différend avec le libraire qui a trop mis votre bouquin en évidence? Ou parce que sa conjointe et votre éditeur se sont étrillés récemment? Concentré que vous êtes sur le clavier de votre ordinateur, comment pourriez-vous soupçonner ces contingences?

Je vous épargne bien d'autres détails. Je ne vous parle pas de ceux qui vous accuseront de racisme, d'anti-religion, d'agnosticisme, d'antiféminisme, de machiavélisme, de subversion, de machisme ou de myopie. On vous prêtera si possible des crimes contre l'humanité. S'il n'arrive pas à vous convaincre de l'un ou l'autre de ces méfaits, le lecteur prétendra froidement que vous puez des pieds.

À la limite, la renommée posthume peut être acceptable. Mort, vous n'êtes plus en devenir et seuls vos héritiers, qui n'ont pas écrit un mot mais qui prétendent tirer benoîtement les marrons du feu, surfer langoureusement sur la crête déferlante de votre carrière, seront rançonnés comme il se doit. Bien fait pour eux!

Et pourtant...

Malgré tout, si vous rêvez d'envoûter le public, je ne vous condamne pas. Vous avez même ma sympathie dans la poursuite de cette course à obstacles. Je ne suis pas sans tache, comme vous le constaterez dans les pages qui suivent. Qui pourrait renoncer à flatter le lecteur dans le sens du poil, à lui parler affectueusement, à se réjouir de ceux qui persévèrent et à se désoler de ceux qui déclinent ses invites?

Beati, beati! Mais la gloire, c'est satisfaisant, voire irrésistible!

Non?

P. du C. d'A.

Chapitre 1

Junie

«As-tu entendu ça? Le pape a libéré des colombes au-dessus de la foule. Elles ont refusé de s'envoler. Il faisait trop froid, paraît-il.

— Oui, je viens de voir ça!

— C'était pour la paix dans le monde.

— ...

— Je ne sais pas ce que ça veut dire.

— Ça veut dire que les colombes ne voulaient pas s'envoler.

— C'est sûrement un mauvais présage!

— Ça présage que les colombes italiennes vont être frileuses cette année!

— Ah! Mais! Y a jamais moyen de te parler! Tu réponds toujours des niaiseries!»

Elle est une fois de plus en colère et ça la fait rosir joliment. Ma tendre copine se trouve devant le téléviseur, à écouter les nouvelles de vingt-deux heures: avais-je besoin de vous le préciser? Non, me direz-vous. Mais je ne prends jamais aucun risque avec mes lecteurs. Et avec mes lectrices non plus, ça va de soi. Tiens, pendant qu'on y est, on va passer un pacte et on n'y revient plus: dans le présent livre, ses notes de bas de page, sa quatrième de couverture ou toute autre de ses parties comportant du texte écrit, à moins que le contexte ne s'y oppose, le masculin employé dans un sens générique inclut aussi le féminin et son utilisation exclusive n'a pour but que d'alléger le texte, ceci en dépit des célébrants les plus farouches du féminisme, mais en conformité des préceptes de la grammaire!

Ouf! ça m'a essoufflé, une phrase aussi longue! Je pense même que je ne l'ai pas inventée de toutes pièces. Elle m'est inspirée par un rapport que j'ai feuilleté récemment et qui avait quelque chose de ressemblant dans son préambule. Mais c'est-il assez clair, hein! Et ça va-t-il m'éviter d'écrire comme dans les conventions collectives, dans la langue de bois syndicale!

Donc, je vous le dis en martelant d'un index autoritaire le dessus de toute surface plane se trouvant à ma portée, lecteurs inclut aussi lectrices, en supposant que j'en aie encore de ce dernier sexe après avoir aussi odieusement ridiculisé les avancées un peu superstitieuses de ma conjointe. Mais rassurez-vous, je porte à mes lecteurs – et lectrices, ne l'oubliez pas – le plus grand respect. Je n'ai pas vraiment le choix, ils me rapportent quelques sous, apportent à mon éditeur une honnête aisance et enrichissent mon distributeur.

Je disais donc que Junie, la femme de ma vie, suit avec un intérêt non dissimulé les informations à la télé. Moi, en retrait dans la cuisine, j'y jette un œil distrait de temps en temps, occupé que je suis à lire une solide histoire de robots signée Asimov, approximativement traduite de l'américain. Pour tout vous dire, je n'ai aucune sympathie pour le petit écran. Pour de très nombreuses raisons dont je ne souhaite pas disserter maintenant. Un de ces jours, peut-être, je vous en parlerai en long, en large et en diagonale. Mais pas maintenant, mon histoire de robots est trop pétée. Avec le père Isaac, y en a toujours un qui pousse dans leurs derniers retranchements les lois de la robotique et ça donne lieu à des situations singulières. J'aime ça.

« Je pense que ça va être une mauvaise année pour la paix ! »

Comme vous voyez, son coup de sang est passé et elle continue sur son erre que, je le constate, mon persiflage n'a pas déviée.

« Pour ce que ça change quand les colombes sont dociles... Je ne vois d'ailleurs pas bien pourquoi ces volatiles se mêleraient de prédire l'avenir. C'est au présent, leur problème : ils feraient mieux de travailler à contrôler le seul sphincter que la nature a laissé sous leur responsabilité. »

Même le nez dans mon livre, pas moyen d'échapper au regard noir, à glacer le sang, que ma princesse me lance de côté. Si j'étais le prince charmant, parole, je serais déjà redevenu grenouille.

« Je renonce à discuter, tu es trop borné ! »

Sur ce, ayant levé la tête, je lui décoche mon plus charmant sourire. Ce qui n'est pas rien, je vous le jure ; ce sourire-là, il en a déjà fait fondre, des dames. Dévastateur, vous dis-je ! Et vous pouvez être sûr que j'en parle en toute objectivité. Il faut un moment à Junie pour ouvrir sa vanne de sécurité et évacuer la pression. Ce qu'ayant fait non sans quelque réticence, elle sourit à son tour, sans toutefois se départir tout à fait de son air indigné.

«Tu me fais encore marcher, vilain matou! Tête de chat! Concombre anglais!

— Concombre anglais!... C'est quoi, ça? Faudrait quand même faire attention à ne pas désobliger mes attributs virils!

— Est-ce que ce ne serait pas plutôt ce digne représentant des cucurbitacées que j'insulte?»

Je ravale le coup bas. Décidément, elle ne manque ni d'aplomb ni de bagout. Inutile de songer à avoir le dernier mot avec cette effrontée. Mais bah! On s'habitue. Et je préfère qu'il en soit ainsi, cela nous permet des échanges musclés, nous évite de nous crêper le chignon au sens propre. Je ne vais tout de même pas me mettre à lui balancer des beignes! Au fait et pendant qu'on y est, si jamais je deviens batteur de femmes, qu'on me coupe les couilles ras le gars. Je ne veux pas à ce point déshonorer mon sexe et continuer de porter le nom d'homme. Pour l'instant, outre mes génitoires, il me reste la ressource de l'argument *ad hominem*[3]. Celui-là, j'en use avec délectation, avec une complaisance vicieuse. Je monte donc un peu le ton pour lui balancer:

---

3. Je sais, dans le contexte, l'expression est sexiste. Mais je n'y peux rien, personne n'a encore inventé le syntagme *ad mulierem*. Que les féministes intégristes, dont même le sexe des mots excite les humeurs, me honnissent. Je m'y résigne.

«Vilaine sorcière! Il fut un temps béni où on alimentait les feux de joie avec les femmes de ton espèce. Si on a renoncé à cette douce tradition, la superstition est tout de même un vice, que seule atténue la naïveté de celle qui s'y adonne.»

Bon, on y est. «Il va nous raconter son divorce, ce plumitif à la manque!» J'en vois qui s'apprêtent à refermer le livre, si ce n'est déjà fait, et à le classer à l'étage le plus humble de leur bibliothèque, là où ils ne vont jamais puiser leur lecture de chevet, là où ils oublient sans appel les recueils de clichés, les galettes insipides et les briques rasantes.

Eh bien, tous ceux qui réagissent ainsi sont dans le champ! Et pas qu'un peu! Je n'ai pas de divorce à raconter. Ni de séparation de corps. Ce serait davantage une histoire d'amour, si je m'y mettais, mais je ne m'y mettrai pas et ne cherchez rien de tel dans mon bouquin. Ce que j'ai à vous offrir est autrement moins contemplatif, bien plus trépidant.

Mais c'est quand même vrai que nous nous aimons. Bien que nous sachions tous deux qu'il y a des sujets sur lesquels nous ne nous entendons pas et ne nous entendrons jamais. De ces objets, je pourrais la laisser dire tout son saoul[4] sans inter-

---

4. Comme me l'a précisé mon correcteur, il faut dire soûl. Juste parce que saoul est vieilli. Moi, je raffole de ces antiquités qui ont le goût épicé de la volaille faisandée. Vous pouvez bien me passer ce caprice, au prix ridicule que vous avez payé pour ce livre.

venir, parfaitement indifférent, mais c'est sans compter sur ma grande gueule. Junie, c'est une femme, ainsi que vous l'aviez subodoré. Comme de raison, en conformité des caractéristiques propres à son sexe, elle parle beaucoup, même quelquefois trop, surtout quand elle sait que je ne serai pas d'accord. Une telle attitude, ça s'appelle de la provocation. Mais je ne vois pas bien comment je pourrais lui en faire reproche, moi qui résiste trop mal à la tentation de lui répondre.

Ça devient le sel de notre relation, ça pimente la vie. C'est mis là pour sceller notre bonne entente. Elle sait bien, Junie, que lorsque je ne sentirai plus le besoin de lui asséner des énormités c'est qu'elle ne me fera plus beaucoup d'effet. Ce qui n'est pas pour demain. Ce bout de femme de pas tout à fait quarante kilos, vive et énergique, prompte à s'enflammer, ardente dans ses passions, je ne vois pas bien comment je pourrais m'en passer ou simplement m'en lasser. J'espère seulement, mes certitudes ayant des limites, qu'elle sent la même chose à mon égard. Comment ils disent ça, déjà, les vrais romanciers? Ah oui! Je l'ai dans la peau!

Beurk! À quelle horreur viens-je de m'abaisser là! Je préfère ne pas être un vrai romancier et je ne m'y essayerai plus. Ces lieux communs me hérissent littéralement, on les a assez entendus. Il faudrait les renouveler, mais comment? Qu'est-ce qui pourrait dire avec assez de justesse et de puissance ce que j'éprouve pour Junie? Je vais continuer de chercher. Quand j'aurai trouvé, je suis bien capable de susciter une occasion pour vous le dire : c'est moi qui rédige, non ?

À la télé, c'est maintenant l'heure de la chouenne. Junie a beau zapper, faire le tour des canaux, c'est la chouenne partout. Les vedettes reçoivent les vedettes et les font parler de tout et plus généralement de rien du tout. Les artistes se congratulent mutuellement, se grattent le dos *one another*[5], racontent des chapitres de leur vie aussi signifiants que l'antépénultième ovulation de ta belle-mère. De temps en temps apparaît un politicien soucieux d'expliquer comment la façon de son parti de rouler les électeurs est honorable, alors que celle de l'autre parti est dégueulasse. Mais le plus souvent ce sont des artistes, qui peuvent cependant remplacer votre psychologue, votre médecin de famille, votre confesseur, les historiens, les docteurs ès toutes les disciplines, les fonctionnaires, les administrateurs, votre animal de compagnie, la chatte à la voisine et son déshabillé vaporeux, le printemps et l'été, les exégètes du Vatican, l'onanisme que vous pratiquez en cachette, l'ordre établi, les rages de dents, les montées de lait et que sais-je encore !

Pour coordonner ces palabres édifiantes, il y a les animateurs-idoles de tout sexe, ceux et celles dont l'ego se mesure au parsec carré et dont la prétention ne peut être appréhendée qu'à l'aide

---

5. En anglais dans le texte. (Note anticipée pour la traduction anglaise.)

des logarithmes népériens, qui se croient justifiés d'interrompre tout le monde, de forcer telle ou telle réponse ou de répondre eux-mêmes aux questions qu'il posent; à croire qu'ils font venir en studio des invités prestigieux pour s'interviewer eux-mêmes, inépuisablement. Ça doit faire recette, ces émissions-là, pour qu'il y en ait tant.

Les cotes d'écoute, pour le quidam assis devant son poste, bedonnant de bière, de chips et de pop-corn, c'est une notion abstraite. Moi, à force d'y penser, je parviens quelquefois à extraire une vision concrète de cette virtualité; j'imagine alors les millions de sourires béats qui béent en chœur ou en canon à écouter toutes ces belles paroles et à contempler les sommités télévisuelles qui les profèrent. Si tu passes à la télé, tu deviens inexorablement crédible, compétent, inattaquable. Il n'y a plus qu'à béer de tous ses orifices et à se laisser farcir d'inepties, pimentées souvent de blagues un peu lestes à l'état brut, sans le moindre raffinement, qui déclenchent le délire dans l'assistance. Car le cul, tout ce qui y pend ou y est adjacent, c'est l'ingrédient essentiel de ces talc-chauve, si stériles qu'il n'est pas près de leur pousser des cheveux.

Comme vous pouvez voir, ces prestations me donnent à réfléchir sur la condition humaine et ses manifestations. Tous, hommes que nous sommes, le plancher nous appelle comme dirait l'autre, le Marseillais, nous sommes inexorablement aspirés par la décadence.

En dépit de mes pensées pamphlétaires, je m'abstiens de tout commentaire. J'ai déjà tout dit à

Junie à ce sujet. Elle ne m'approuve qu'à moitié, elle me traite de mésadapté[6], pensez! De chiâleux aussi ou de rouspéteur, selon ce qui lui passe par la tête. Et elle n'aime pas que je me répète.

Heureusement, il y a le téléphone. Ça me permet de me sortir de ces propos dont, sans doute, vous n'avez que faire. Car, le téléphone, il sonne justement. Je me précipite, non sans ressentir une bouffée d'angoisse qui me monte dans le gargoton avec des hormones en provenance de mes surrénales. À cette heure-là, c'est toujours pareil lorsque mon poste fait retentir son carillon. Si on éprouve le besoin de m'appeler, est-ce vraiment pour m'annoncer une bonne nouvelle? Il me semble toujours que le contraire est plus probable, nuitamment.

À l'autre bout, une voix féminine de style exécutif s'informe de mon identité et prétend me joindre de la part de Stéphane Gauthier.

« C'est pour vous avertir que monsieur Gauthier ne pourra pas se présenter au travail demain. Il a dû quitter pour Drummondville. Sa mère est malade.

— Ah! C'est embêtant. J'ai personne pour le remplacer.

---

6. Si vous possédez un dictionnaire qui se respecte, il se peut que vous n'y trouviez pas le mot « mésadapté », un terme de psychologie que l'Office québécois de la langue française a eu le culot de normaliser. Heureusement, je suis là pour vous dire tout, ce qui vous confère l'insigne avantage de pouvoir décrypter ma prose infiniment édifiante.

— Il sera sans doute absent quelques jours.

— Il va me rappeler, je suppose...

— J'imagine, il ne m'a rien dit à ce sujet. Il ne m'a pas laissé de numéro non plus.

— Bon! Je suppose qu'on n'a pas le choix. On va faire avec. Je puis savoir votre nom?

— Cela ne vous dirait rien. Je suis une amie de Stéphane. Je me contente de transmettre le message, sans plus. Bonsoir, monsieur!»

C'est ferme et sans encouragement. Dit d'une voix plutôt froide où ne transpire aucune attente de réplique. On dirait le bulletin de nouvelles de la chaîne télévisuelle en cours de syntonisation il y a une page ou deux. Prononciation impeccable, ton de voix étudié, débit magistral qui feint à merveille l'objectivité. Je n'aurais jamais cru que Stéphane, personnage plutôt fruste, puisse avoir des relations au langage aussi distingué.

«Bonsoir...»

Mais elle a déjà raccroché. Plutôt discrète, la madame. Pas question qu'elle laisse investir sa vie privée. Manifestement, elle n'a pas été impressionnée par le ton chaleureux que je prends toujours pour parler à mes contemporaines. C'est ses oignons, après tout, si elle ne veut pas s'identifier. C'est à elle, ses oreilles. Mais Stéphane aurait pu lui dire qui je suis, que je ne m'amuse jamais à faire des appels téléphoniques obscènes, que je traite les renseignements personnels avec le dernier des scrupules, etc.

«Qu'est-ce que c'était? me questionne Junie

— Rien! Le livreur qui ne rentre pas. Ça m'emmerde. »

Je reste figé, la main sur le combiné, à jongler. Heureusement, demain, on n'est que mardi. Une journée ordinaire, sans rush prévu. À moins qu'il m'arrive sans crier gare au détour d'un circuit touristique un autobus de petits vieux affamés, pressés de s'empiffrer sous les applaudissements de leurs prothèses dentaires. Là, je l'aurais où vous pensez, l'absence du livreur. Et profond, encore!

Une idée saugrenue qui me passe soudain par la tête, je décroche et presse les trois touches qui me renseigneront sur la provenance du dernier appel. Tant pis pour les quatre-vingt-quinze cents qui s'ajouteront à ma facture. «Le poste d'où provient la dernière communication ne peut recevoir d'appel!» que me répond la voix mécanique de la standardiste électronique. Tiens! Tiens! Étonnant! La madame appelait d'une boîte publique. Décidément, elle craint les ennuis. Celle-là, elle n'entend laisser aucune prise au correspondant.

Faudra que j'en parle à Stéphane, un de ces jours, de sa sirène insaisissable.

Mais passons donc au chapitre deuxième où, c'est une promesse, je cesse de radoter toutes sortes d'insignifiances pour vous plonger jusqu'à l'asphyxie dans le cœur saignant de l'action. Accrochez-vous, on saute à la page impaire suivante.

Chapitre 2

Pinson

«Pourquoi, dans les lieux publics, sépare-t-on les hommes des femmes lorsqu'il s'agit des besoins naturels?»

C'est l'interrogation qui me vient spontanément ce matin, onze heures trente, alors que je m'affaire à régler les débordements de ma vessie avant que n'arrivent les premiers clients. En l'occurrence, le verbe régler paraît bien illusoire. L'armistice n'est jamais que temporaire, quand il s'agit d'urine. Il me faudra remettre la question à l'ordre du jour dans quelques heures à peine. Surtout que, depuis mon arrivée au travail ce matin, j'ai avalé passablement de café lequel, tous les bons amateurs vous le diront, a un effet diurétique indiscutable.

Mais ma question existentielle m'est davantage inspirée par le comportement de mon copain Bastos, serveur de son métier et exclusivement homo de par son orientation sexuelle. Bastos, à tout bout de champ, il trouve le moyen d'être là, à l'urinoir voisin, lorsque j'extrais mon bec verseur pour évacuer le trop-plein. Sa façon pas très subtile de jouer à me courtiser m'agace. C'est juste une taquinerie, pour lui, et plus je le houspille, plus il y met de l'insistance. Tout en urinant, il arrive à se tourner un peu de côté, de manière à me montrer avec ostentation un organe de fort belle venue qui me serait sans doute un doux spectacle si je partageais son goût du mâle. En même temps, il étire le cou pour apprécier ma marchandise, m'obligeant aux lamentables contorsions d'une pudeur légitime. Je n'ai d'autre choix que de compisser le coin opposé de l'urinoir. Son manège est éventé depuis longtemps. Il n'en continue pas moins à le réitérer. Il est tenace, Bastos, autant qu'entreprenant. À long terme, dans l'univers de ses amours, ça doit lui rapporter des dividendes, son acharnement. Quant à moi, je n'en tire aucune vanité. Il me gêne plutôt, je ne sais trop comment y mettre un terme. Il y a toujours la manière forte, bien entendu. Mais c'est un bon gars, Bastos, et si fier de son visage séduisant. Je ne vais tout de même pas le lui démolir. Non seulement ce serait trop facile, il ne s'en remettrait pas et je perdrais dans l'aventure un super collègue de travail, autant que mon meilleur ami lorsque j'y pense. Au fait, c'est peut-être le degré d'intimité auquel nous sommes parvenus qui lui autorise ce sans-gêne d'un goût douteux. En général, c'est un mec plutôt réservé et discret.

«Range donc un peu ton outil, chérubin, lui dis-je. J'ai beau compulser mon manuel d'utilisation, je ne vois absolument pas quel usage je pourrais en faire. Ta miction personnelle me semble représenter le summum de son mérite, alors qu'elle ne m'apporte à moi aucun soulagement. Et puis, le défilé de la fierté gai, je veux bien. Mais, je ne te l'ai jamais caché, je réprouve tout exhibition-nisme, fût-il commis par des hétéros. Tu le sais bien, tu perds ton temps avec moi. Je suis au regret de te le répéter, ton appendice génital, si bien fourbi qu'il soit, ne fait pas partie de mes fan-tasmes, même les plus délirants.

— C'est parce que tu n'as jamais essayé! Com-ment peux-tu dire que tu n'aimes pas le caviar quant tu t'es toujours contenté de porridge?

— Que veux-tu! Il y a de ces mets qui te lèvent le cœur rien que d'y penser. Tu peux toujours ratio-ciner, ça ne changera rien. Fais-toi une idée, mon pote. Le porridge me convient très bien et me procure toutes les satisfactions souhaitables. Et laisse-moi pisser en paix. Si jamais je change d'idée, promis, je te fais signe. En attendant, tu as assez de conquêtes sur ta tablette à trophées, je ne vois pas ce que j'apporterais de plus à ta panoplie.

— C'est que, tu le sais bien, tu es plutôt mon genre. J'avoue même que tu me causes de l'insomnie.

— Compte des moutons, je ne t'en empêche pas. Il devrait y avoir des toilettes réservées aux gars comme toi. Ou bien tu devrais fréquenter le côté des dames. Au moins, elles, elles seraient certaines de ne pas t'exciter!»

Pourquoi donc sépare-t-on les femmes des hommes? C'est ce que je disais précédemment et qui continue de me trotter dans la tête pen-dant que je procède à mes ablutions et que je retourne dans la salle à dîner, suivi de Bastos comme de mon ombre. Tant que tu évolues dans le monde des hétérosexuels, tu as la conviction que c'est logique et tu ne te poses aucune question. Mais qu'il t'arrive dans le décor un tenant d'une autre façon et tu ne sais plus comment résoudre le nœud gordien.

À quoi bon nous réserver un coin pour nous soulager si cela ne nous soustrait pas à la concupiscence des autres? Peut-être que ce n'est pas là le but, de toute manière. Peut-être est-ce pour éviter que les messieurs ne soient empêchés de jeter du lest, la prostate perturbée par la proximité du sexe opposé ou par un doux sifflement trop caractéristique, trop évocateur. Peut-être s'agit-il uniquement de protéger la retenue qu'on reconnaît d'emblée aux femmes. Ce doit être ça. C'est bien connu, les femmes n'aiment pas dévoiler les exigences triviales que la nature leur impose, elles tiennent absolument à se présenter sous leur meilleur jour. C'est dans leur nature, plus encore que dans celle des hommes. Ainsi, la jeune fille ne tolérerait pas que son amoureux de fraîche date puisse apprendre, par l'indiscrétion de la promiscuité, qu'elle pète quelquefois en privé, et que ça pue.

Conscient de n'avoir pas vidé la question, je me promets de l'approfondir à la prochaine occasion. Pour le moment, je n'ai pas le temps.

Sitôt revenu de la salle d'eau, tout le personnel du restaurant semble me sauter dessus en même temps. Il faut régler les derniers détails, répondre aux questions des uns et des autres, prendre sans délai les décisions qui s'imposent avant la cohue du dîner.

Le rôle que je dois jouer ne me fascine pas outre mesure. J'aime bien le prestige que me confère mon autorité, j'ai du plaisir à diriger l'équipe. Mais je le fais par procuration et mes subordonnés peuvent toujours m'objecter avec un opportunisme sournois les manières de la patronne. Ils ne s'en privent d'ailleurs pas, quand l'occasion se présente. Le cas échéant, je coupe court aux discussions. La patronne est dans le Sud et c'est à moi qu'elle a confié la gérance du restaurant en son absence. En exhaussant ainsi un simple serveur, elle a peut-être froissé des susceptibilités, mais ce n'est pas mon problème. Il faut que ça marche jusqu'à son retour. Elle pourra toujours me taper sur les doigts si j'ai pris les mauvaises décisions. Mais je doute qu'elle me désapprouve. Ses roucoulades sont autrement menaçantes.

Il suffit que tu oublies ton parapluie pour que le ciel tout entier te tombe sur les omoplates. Évidemment, le problème de la livraison me saute au visage, avant même que s'annonce le premier client. J'ai plus ou moins prévu le coup en arrivant au travail ce matin. J'ai fait entrer un serveur supplémentaire, ou plutôt une serveuse; la seule que j'ai pu trouver parmi les occasionnels, c'est Régine, une petite nouvelle troublante aux yeux comme la Cristal de Starmania, l'une des premières, Martine; elle est encore par trop inexpérimentée pour se charger d'une section régulière et je l'ai affectée à une réservation de six personnes; je pourrai toujours lui assigner une table ou deux, au besoin. Pour bien faire, le téléphone n'a pas cessé de gueuler depuis le milieu de la matinée. Nous allons avoir du monde. Tant pis, je prendrai des tables, en plus de dépanner les serveurs débordés.

Donc, il y a commande à livrer. Les filles, selon la politique du restaurant, on ne les envoie sur la route que mal pris; on ne sait jamais à qui on a affaire et c'est quelquefois insécurisant; sauf bien sûr si on connaît bien le client; mais ceux qui commandent le midi sont trop souvent des satyres qui relèvent de la cuite, qui vous reçoivent en caleçon en plein mitan du jour, quelquefois tout nus, et qui ne finissent plus de trouver, en se grattant les miches, leur monnaie dans les fringues qui jonchent le plancher. De toute manière, tout le monde est occupé, indispensable. Bastos, c'est un taon; il a les deux tiers de la salle à dîner à lui tout seul; Élodie prend le reste, alors que Francis se tape les trois quarts des loges, la partie qu'on appelle l'autobus. Les clients sans réservation seront envoyés dans la petite section bar à l'avant de la salle à dîner avec Isabelle et Régine. Je me réserve personnellement la partie restante des loges, de manière à ne pas trop m'éloigner de la caisse; on n'utilisera ces dernières tables qu'en cas de nécessité absolue. Du côté de la cuisine, tout le monde est déjà dans le jus. Rien à faire. Si je ne m'occupe pas personnellement de la livraison, celle-ci n'aura pas lieu; une éventualité impensable!

Je saute dans la voiture de service. Une petite Honda manuelle sans cul, extrêmement nerveuse, mais quelque peu déglinguée en raison des abus de conducteurs divers. Le siège passager est remplacé par un réchaud où je place le menu poulet qu'il me faut acheminer à la bonne adresse.

3758, route du Paddock. Francis m'a expliqué en gros comment y aller. Tu prends le pont. En haut de la côte, tu vas à droite, presque jusqu'au bout. C'est assez loin. Tu cueilles la rue Lavallière à droite et, après un détour étourdissant, tu te retrouves sur la route du Paddock. Le nom change sans avertissement. Le numéro 3758, il doit se retrouver presque en plein bois.

Muni de ces informations, je fonce dans mon bolide de teenager bariolé d'annonces. Le restaurant le Crotale Sonné, le meilleur de la ville, vous ne pouvez pas vous empêcher d'y penser en voyant passer ma Honda. C'est tellement criard et bigarré que même les vaches oublient un instant de regarder passer le train. C'est vous dire!

Je suis pressé et je file à vive allure. C'est du bout de la semelle que je respecte les arrêts obligatoires et les feux rouges, et d'un pied déterminé que j'accélère aux feux jaunes. Je suis contrarié aussi. Belle position que j'ai là! De remplacer la patronne, ça me fait des mollets bien ronds. Voilà que je dois me taper la livraison en plus. Et ça en plein jus! Et en faisant vite pour ne pas retarder le service. Déjà qu'hier j'ai dû m'improviser plongeur pour dépanner. Il ne me manque plus que de nettoyer les chiottes, ce qui pourrait bien survenir pas plus tard que bientôt.

Je trouve la route du Paddock sans difficulté.

Les indications de Francis, pour sommaires qu'elles fussent, ont été d'une remarquable précision. Ma destination se trouve en campagne, en fait. Tout de suite après le détour annoncé, une grosse pancarte surmontée d'une flèche indique la présence d'une écurie quelque part, ce qui me renseigne sur l'étymologie du nom de la route. Mais ce que Francis ne m'a pas dit, c'est que le premier détour n'est qu'un préambule à deux autres encore plus extravagants, situés de part et d'autre d'une petite rivière enjambée par un ponceau, laquelle rivière prend un malin plaisir à sinuer parallèlement à l'orientation générale de la voie carrossable. J'ai beau freiner brusquement, je prends les virages si serrés que ça pleure sous les pneus. À un certain moment, ça courbe si dru que je crois voir ma propre plaque minéralogique juste devant.

Lorsque la route redevient à peu près droite, je me retrouve dans un boisé de feuillus pas très touffu, piqué çà et là de quelques propriétés distancées. Il me faut bien ralentir un peu pour lire les numéros civiques. 3 600... 3 650... 3 740... Ça monte avec des sauts de plusieurs dizaines. Je continue dans un désert d'habitations qui fait près d'un kilomètre. Et c'est tout à coup le 4 020... Trop loin! J'ai loupé la bonne adresse, sans doute une entrée trop discrète. J'enclenche nerveusement la marche arrière tout en dégrafant ma ceinture de sécurité. Je néglige les miroirs, tourne la tête pour faire le plus vite possible sans risques.

Juste comme ma voiture s'ébranle à reculons, un mouvement sur la gauche, environ cinquante mètres derrière, attire mon attention. Deux hommes sortent du bois au pas de course, tenant un drôle de bâton à la main. Ils sautent sans s'arrêter par-dessus le fossé qui les sépare de la route, pour foncer ensuite à la rencontre de ma Honda. Je ne tarde pas à comprendre que leur gourdin n'est rien d'autre qu'un fusil de fort calibre.

Bien que j'aie pratiqué un temps le tir au revolver, que j'en aie toujours un bien planqué à la maison lequel m'a donné un mal fou à justifier lorsque la loi sur l'enregistrement des armes à feu a été promulguée, je ne m'y connais guère en matière d'artillerie; surtout quand il s'agit de gros pétards qu'on dirait destinés à la chasse aux dinosaures de l'ère mésozoïque. Mais leur arme ressemble à celle qu'on retrouve verrouillée, gueule en l'air, dans les voitures de police. Ce doit être des calibres .12, comme on me l'a appris.

Je n'ai que le temps de me dire que ce sont des chasseurs de ville et de me demander quelle bête leur court après pour qu'ils se poussent avec autant d'ardeur. Le plus proche des lascars épaule, vise dans ce qui semble être ma direction et fait feu. Je le vois à une sorte de flash qui illumine brièvement le trou noir du canon.

Presque au même moment, ça fait fffrrrrououou dans l'habitacle. La lunette arrière s'est pulvérisée, me criblant de minuscules éclats de verre... à moins que ce ne soit de chevrotine. Tout de suite après, j'entends la détonation, énorme, puissante, à déchirer les tympans.

Avez-vous déjà essayé une expérience

pareille ou apparentée? Ton premier réflexe, c'est de t'affaler, de te livrer à la fatalité. Tant pis pour les dommages collatéraux, ce n'est plus de ta responsabilité. Mais l'adrénaline prend le relais de ta volonté. Et plus vite que la pensée.

C'est drôle comment ça agit, l'adrénaline. Tu la sens d'abord au niveau de l'entrejambe. Comme si le chien du copain chez qui tu te trouves en visite te sautait au pendentif alors que tu t'apprêtes à le gratter derrière l'oreille. Tu sens monter une peur telle que tu n'en as jamais connu de pareille, un frisson de trouille qui te hérisse la colonne, de bas en haut, jusqu'au cou qui te fait mal soudain sous la crispation. Mais cette peur est loin d'être paralysante, elle est active et féconde. À une vitesse dont tu ne te serais pas cru capable, tu poses des gestes sans y penser, mécaniquement.

C'est justement ce qui m'arrive. Avant même de l'avoir réalisé, je suis déjà reparti vers l'avant dans un hurlement de pneus. Devant, à quelques mètres seulement, il y a un autre malabar, sorti je ne sais d'où, aussi fortement armé que ses copains. Loin de chercher à l'éviter, je passe la seconde vitesse sans lâcher l'accélérateur. Nouvelle protestation sonore du caoutchouc martyrisé sur l'asphalte. Le gars, qui s'apprêtait à épauler, croit pertinent de renoncer à son projet et de sauter sur l'accotement, non sans balancer à mon auto un violent coup de crosse.

Encore une pluie de verre. Cette fois, c'est ma vitre latérale qui s'est régalée et qui n'a rien trouvé de mieux que de voler en mille miettes. Le verre sécuritaire, ça ne connaît pas la demi-mesure. Quand ça casse, tu peux toujours essayer de recoller les morceaux. J'en ai dans les cheveux, dans les poches, dans l'oreille gauche et en bien d'autres endroits que je n'ai pas le temps d'énumérer.

Car mon départ de ce site peu accueillant ne peut être différé sous aucun prétexte. Je fonce de plus belle, d'autant que deux nouveaux coups de feu me rattrapent en même temps que de forts bruits de grêle. Entrés par la lunette, des projectiles non identifiables crépitent contre le pare-brise sans faire de dégâts et ricochent un peu partout. Quelques-uns me cinglent le visage. Je n'aime pas beaucoup mon uniforme et son nœud papillon qui m'oblige à tenir mon col de chemise bien serré; mais j'avoue que dans les circonstances il me rend service en limitant la surface exposée de mon anatomie. Je me recroqueville sur mon siège en bénissant le haut dossier, même si ce dernier ne m'accorde qu'une protection toute relative et serait peu en mesure de soutenir un siège[7].

La distance croît entre mes agresseurs et moi. Je les ai perdus de vue depuis un bon moment déjà, mais mes sécrétions endocrines n'ont pas pour autant retrouvé leur rythme de croisière. Je

---

7. Note de l'éditeur : Jusqu'où cet énergumène nous entraînera-t-il? Un siège qui soutient un siège, à présent. Décidément, c'est par erreur que ce livre a été publié. Nous tenons à nous en excuser auprès de notre distinguée clientèle et nous déclinons toute responsabilité quant à son contenu.

n'arrive pas à lâcher l'accélérateur. J'espère au moins que cette route du Paddock n'est pas un cul-de-sac. J'ai l'air de me diriger vers une municipalité voisine, mais sait-on jamais. Et je ne ressens que médiocrement le goût de revenir par le même chemin. Heureusement, les détours se font plus rares, alors qu'une plus grande concentration de résidences remplace le boisé. Ça commence à me rassurer. Une petite fille, six ou sept ans, joue au bord de la route. Tous ceux qui me connaissent vous le diront, je suis exagérément père poule. J'ai toujours peur qu'il leur arrive un accident, à ces mioches. Aussi, la vue de cette enfant actionne-t-elle le déclic de la décélération et du retour à un mode de conduite plus sécuritaire.

Mon sang continue de bouillir. Mais tout doucement, la peur est remplacée par la perplexité, pas très lointaine pourtant d'un sentiment moins gentil qui me fait rêver d'une vengeance éclatante. Il se passe quoi, dans ma vie, soudain? Je m'amène tout innocemment au travail comme tous les jours, juste pour remplir honnêtement ma fonction, faire rouler le restaurant sans trop de problèmes jusqu'à ce que la proprio ramène de vacances sa peau bronzée au début d'avril comme ne le sera jamais l'épiderme d'un simple serveur au mois d'août. Je n'ai jamais rêvé de risquer ma vie et, vraiment, le jeu n'en vaut pas la chandelle. Le salaire n'est tout de même pas à la hauteur à partir du moment où je dois servir de cible à des prédateurs armés comme pour la guerre d'Irak. Tel que m'a fait ma mère, j'ai du panache, c'est sûr, et je m'aime bien comme ça. Qu'on me prenne pour un orignal, c'est une autre paire de chaussettes.

Qui est-ce qui m'a arrangé un rendez-vous pareil? La patronne dont je ne cesse de déjouer les avances et qui me trouve tout à coup gênant au point de me gratifier d'un billet aller seulement pour le paradis? Ce serait tout de même étonnant; elle connaît bien des manières de rendre un employé indésirable et de lui donner son congé sans avoir recours à des moyens aussi extrêmes, sans même se rendre suspecte aux yeux de la Commission des normes du travail; il me semble aussi qu'elle a d'autres projets relativement à ma personne. Des employés du restaurant qui m'en veulent, qui n'aiment pas ma façon de donner des ordres ou qui sont simplement jaloux de mon autorité et des égards qu'on a pour moi en me confiant des fragments de gestion? À la réflexion, c'est peu vraisemblable; qui aurait pu prévoir que j'allais me charger de la livraison aujourd'hui même? Sont-ce mes agresseurs eux-mêmes qui nourrissent à mon endroit une rancune insoupçonnée? Pas de rapport! Je n'ai rien à me reprocher; trois fois rien; rien, rien, rien! Qui peut vouloir m'éliminer? Et qui aurait pu se douter que j'allais emprunter cette voiture? La seule certitude, c'est qu'il s'agit d'un coup préparé avec minutie. Je m'étonne encore d'en être réchappé. Pour combien de temps?

Mais une autre question fait son chemin à mesure que j'y pense. Qui devait se trouver aujourd'hui dans cette Honda chamarrée?

Stéphane! Mais oui! Ce n'est pas sur moi qu'on a tiré, c'est sur la voiture! Ce serait miracle qu'on ait eu le temps de me reconnaître. Moi-même, à part une allure générale peu significative, je ne pourrais décrire les desperados à qui j'ai eu affaire. Mes agresseurs, ils sont restés anonymes. Je les rencontrerais dans la rue, je n'aurais aucune chance de les identifier. Même celui que j'ai bien failli heurter; il portait une casquette à large visière, un vrai couvercle qui me cachait la moitié de son expression; un gars assez grand, plutôt mince, au contraire des deux autres qui m'ont paru plus corpulents, plus épais. Et surnourris. Tous portaient des vestes carreautées[8] à dominance de rouge.

Le fil de mes pensées me ramène de nouveau à Stéphane. Qu'est-ce qu'il a encore fait pour susciter pareille ire meurtrière? Il n'y a pas tant à dire à propos du livreur. Un bon employé, plutôt effacé mais dévoué et généralement efficace. Ce n'est pas le genre à manquer du travail pour un rhume ou à disparaître sans motif. Mais gaffeur comme pas deux autres, à certains moments inattendus. Tout lui arrive, on dirait, et il y a bien des

---

8. Selon le bon usage du français, seule l'expression «vestes à carreaux» existe. Ce que contredit la réalité et je n'y peux rien. Nous en avons aussi, des vestes à carreaux. C'est un autre vêtement, différent des vestes carreautées qui évoquent les travailleurs forestiers, les chasseurs ou les personnes qui œuvrent sur les chantiers de construction. Même l'Office québécois de la langue française ne veut pas souiller son vocabulaire avec cette évidence. J'ai décidé de faire à ma tête, point final.

choses qui n'arrivent qu'à lui. C'est comme s'il avait la guigne collée aux talons. La *bad luck*, c'est sa marque de commerce. Si on lui demande de débarrasser les tables, c'est sûr qu'il va laisser tomber une pile entière d'assiettes; pas étonnant avec les voyages de paresseux dont il se surcharge. À la dernière Saint-Valentin, il y avait brunch au restaurant; eh bien, en allumant les réchauds, Stéphane a réussi à mettre le feu à la table de service; pas banal! La nappe en polyester a cramé joliment, il a fallu éteindre d'urgence avec tous les moyens disponibles; si on a pu sauver les œufs brouillés et le bacon, les sandwiches étaient irrécupérables et le gâteau, une mousse au chocolat, avait fondu dans les assiettes. Les cuisiniers racontent encore les acrobaties qu'ils ont dû faire pour sustenter la clientèle.

Cette fois, il a certainement mis le pied dans un nid de guêpes. J'espère seulement que Drummondville est assez loin pour garantir sa santé future.

Le froid message que j'ai reçu de sa part, livré par une femme mystérieuse depuis une boîte publique, aurait-il un rapport avec cette affaire? Je suis tout à coup inquiet. Des scénarios horribles me viennent à l'esprit. J'irai à la police aussitôt que possible. Pour le moment, ce qui urge, c'est de retourner au Crotale Sonné. Ils doivent être dans la gadoue jusqu'au cou, là-bas, avec toutes ces réservations. J'ai déjà trop tardé, ils se demandent sûrement ce que je brette.

Ah, les bottes de sept lieues! Un rêve très

humain, comme celui de voler, mais qui n'a jamais dépassé les limites du conte. C'est le Petit Poucet qui doit ricaner!

J'ai laissé l'îlot d'habitations derrière moi et je suis de nouveau en pleine campagne. Il fait froid dans mon épave ajourée de partout. Le temps est beau, ensoleillé, mais ce n'est quand même pas l'été. J'ai mis le chauffage à maximum, mais je grelotte comme un qui serait atteint de la danse de Saint-Guy. Comme prévu, je vois se dessiner au loin le village voisin, avec son clocher comme affûté au taille-crayon. Je pourrai revenir par la route régionale, en espérant ne pas faire à nouveau de mauvaises rencontres.

Chapitre 3

Marilou

Au Crotale Sonné, je trouve au moins un avantage : je ne suis plus jamais surpris. Ainsi, le climat bordélique qui y règne à mon retour m'est-il familier. Tous les symptômes d'un dîner jutant sont réunis. Les serveuses courent à en démolir leurs escarpins, les serveurs se cognent à tous les coins de tables, jonglant avec des montagnes de plats en équilibre précaire sur les deux bras. Un bruit de vaisselle et d'ustensiles en arrière-fond témoigne du niveau d'activité. Dès la porte franchie, on entend les ordres que crient les cuisiniers à leurs aides dans la chaleur du grill et les odeurs de sueurs.

On n'a pas eu le temps de débarrasser les tables désertées de frais par les clients. Ça fait désordre. Mais cet univers où un non-initié ne verrait que le chaos absolu, un capharnaüm échappant à tout contrôle, je sais qu'il cache une discipline d'airain, une rigueur secrète qui permet à l'établissement de dominer, mine de rien, toutes les situations. La formule gagnante de la restauration, c'est sa capacité à s'adapter et à faire face à tous les imprévus. Ne jamais perdre pied, assurer un service égal en dépit de tout. Le bon restaurant, c'est celui qui se surpasse dans les débordements. Curieusement, c'est dans la béchamel et le stress qu'il donne son meilleur. Les erreurs lourdes, les clients massacrés, c'est toujours quand c'est mollo.

Bien entendu et tel que je l'avais prévu, je suis assailli dès mon arrivée. Il y a plein de bébelles à régler. En plus, Diane, la caissière, me brutalise.

«Où étais-tu passé? Ça fait plus d'une heure que tu es parti! Tu t'es perdu, ou quoi? Faudra te procurer une boussole et une carte routière si tu veux faire carrière dans le "dîner à votre porte".

— Fausse alerte, ma belle. J'ai pas le temps de te raconter. Quoi, à part ça?

— Trois autres livraisons. Et très en retard.

— Mais qu'est-ce qui se passe en ville pour que tout le monde rapplique ici? On n'est que mardi, non! Pour la livraison, appelle trois taxis. La station d'à côté. On les paiera au retour. La bagnole est hors service.

— Mais ça va coûter plus cher que la bouffe!

— Pas le choix! Faut au moins sauver notre nom. Demande des reçus, la maison prend les frais. Je vais louer une voiture pour le souper[9].

---

9. Y a-t-il des Français dans la gang? Si tel est le cas, ils auront compris depuis plusieurs pages déjà que cet écrit se situe à l'heure du Québec, là où, allez donc comprendre ces drôles, le dîner se prend à midi et le souper en fin d'après-midi. Attention! Le souper ne doit pas être confondu avec la collation du soir tard que nos cousins d'outre-mer désignent par ce substantif. Remarquez, c'est juste par acquit de

— Avant de reprendre ta vie publique, tâche donc de passer devant le miroir. Tu as une constellation de taches de sang dans la face. T'es-tu rasé avec la faux de ton grand-père, 'cout' donc?

— Tu n'as pas vu la tempête de grêle?

— Une tempête de grêle? »

Je la laisse méditer cette explication saugrenue pour suivre son conseil et me refaire un visage à peu près présentable. En arrivant, j'ai conduit la Honda de livraison dans la cour arrière où je l'ai sommairement camouflée dans un abri de toile amovible que la propriétaire utilise l'hiver pour sa BMW et qui n'a pas encore été enlevée. Je l'ai fait entrer là à reculons pour dérober aux éventuels passants le plus évident de sa déprédation. Toujours sauver la face, toujours éviter la publicité négative, toujours tout pour le renom du restaurant.

La conscience professionnelle, il y en a plein qui croient que c'est cucul, téteux, servile. Moi, je crois dur comme fer que c'est une manifestation de l'instinct de survie. Pas besoin de me trancher en lamelles et de m'examiner au microscope pour savoir que je suis un parasite. Je vis au crochet du Crotale Sonné ou, à tout le moins, en symbiose avec lui. Tant que le resto a ses chalands, j'ai une

---

9. (suite) conscience que je formule ces détails essentiellement culturels. Je sais bien au fond que toute la francophonie les a bien assimilés, sauf quelques Parisiens convaincus que le monde s'arrête aux portes de Paris. Ceux-là, d'ailleurs, ne se sont pas rendus jusqu'à cette note de bas de page. De sorte que mes précautions se résolvent en pure perte.

situation, un travail que j'aime, qui me fournit des occasions de contacts avec le public, ce qui constitue un élément indispensable à mon épanouissement. Mon boulot me paye raisonnablement, bien qu'il ne suffise pas à nourrir mes ambitions de millionnaire.

Oui, je suis un parasite, inutile de vouloir vous le cacher. Un bon parasite, s'entend. Celui qui engraisse son hôte pour l'avoir confortable, qui tient à sucer du sang riche. Le mauvais parasite, lui, il tue son hôte. Et il se retrouve avec rien, condamné. Comme le virus du sida ou celui de la grippe aviaire, comme le bacille de Koch ou celui de la néphrite, qui sont bien avancés lorsqu'on incinère le citoyen accommodant qui les nourrissait et que conséquemment on ne désignera plus désormais qu'en faisant précéder son nom du mot «feu».

Je vois trop de monde autour de moi qui sont prêts à soutenir la théorie contraire, qui croient de bon ton de médire de leur employeur, d'en dire pis que pendre, qui se sentent persécutés, exploités, plumés, déculottés, prostitués, sodomisés, tout ça pour des pinottes, et qui en parlent à qui veut les entendre comme à qui ne veut pas écouter. Toujours trop de travail, jamais assez d'argent. En leur qualité de viande à galère, de chair à corvée, ils peuvent se permettre de dégoiser à loisir. Pour certains d'entre eux, les tâches bâclées à la débarrasse ou même les véniels larcins sont dans l'ordre des choses, une façon de se compenser bien insuffisamment pour les iniquités dont ils sont les victimes rebelles. Eux, au moins, ils ont du tempérament.

Depuis cinquante ans plus ou moins, il s'est développé une idéologie économique selon laquelle tout travailleur – un mot qu'il faut prononcer à la Michel : travaaiilloeoeur – tout travailleur est bon, tout patron est méchant. Une fois énoncée cette dichotomie universelle, plus besoin d'aller voir, c'est réglé une fois pour toutes. C'est manichéen comme Diable et Bon Dieu et les nuances sont pour les tapettes. Y a plus qu'à se laisser baptiser dans la religion et à évangéliser les hérétiques, dont je fais manifestement partie. Oui, je sens le fagot, je pue l'hérésie, je suis un pendard en sursis, de la graine de mécréant pour oser regarder plus loin que le précepte et me faire une idée par moi-même.

Excusez-moi, lecteurs, je me suis encore égaré. Diane a raison, il me faut une boussole et une carte routière. Même pour me livrer à l'écriture.

Je disais donc que j'ai camouflé l'auto. J'en suis sorti dans une avalanche de verre brisé menu que j'ai secoué tant bien que mal. J'ai retourné mes poches à l'envers, dénoué mon col de chemise, fait valser ma tignasse dans tous les sens en la battant comme sur le balcon de ton condo la vadrouille de ta colocataire. L'état lamentable des rétroviseurs ne m'a pas permis de vérifier mon maquillage. Une lacune que comble le miroir de la salle d'eau.

J'ai effectivement une demi-douzaine de petites piqûres qui ont fait chacune un point sanguinolent, comme une tête d'épingle grenat. Les blessures sont bénignes. Un peu d'eau et il

n'en reste plus que des rougeurs sans conséquences permanentes pour mon joli teint. Je m'en
tire à bon compte. L'aventure aurait pu occasionner à mon enveloppe cutanée des perforations
autrement conséquentes. Je n'ai plus qu'à me
réintroduire parmi les serveurs avec mes stigmates
de picote volante, à me réinscrire dans le rythme
trépidant du plancher. Je contacterai la police dès
qu'on aura contrôlé l'excès d'affluence.

C'est sans compter sur mes devoirs de communication. Je n'ai que le temps de franchir la
porte.

«Téléphone!» que me crie Diane depuis la
caisse.

«Qui?» demandé-je, avec le sens inné de la
concision qui me caractérise.

«De Cancun», me réplique-t-elle, indifférente
à la nature grammaticale de ma question.

La proprio. J'aurais préféré dans une demi-
heure. Mais ses inspirations ne se discutent pas.
Et puis, j'ai justement deux mots à lui dire, à
Marilou. Je sens que la conversation va être
animée.

«Je la prends dans le bureau.

— Ligne quatre!»

En trois enjambées, je dégringole l'escalier
qui mène au sous-sol. Comme j'en ai pour un
moment, je m'installe confortablement dans le
fauteuil patronal à haut dossier. Je pose mes
pieds sur le tiroir de droite que j'ai tiré opportu-
nément et je décroche.

«Allo!

— Ah! Mon petit Pinson! Beaucoup de monde, paraît?

— Le zoo et le premier juillet réunis!

— Tu m'en vois désolée. Sans vouloir être baveuse, d'ici, on ne sent rien. Figure-toi que je t'appelle depuis l'Atlantique dans lequel j'ai mis à tremper mon ardent postérieur pour ne pas qu'il prenne feu au son de ta voix. »

Malgré l'urgence de me confier, je ne puis résister. Normalement, pour demeurer fidèle à ma tactique, je devrais lui répliquer quelque chose comme ceci: «C'est comme ma Junie, elle doit garder un plein extincteur de neige carbonique à portée de main pour parer à toute conflagration! » C'est d'ailleurs la première parade qui me vient à l'esprit. Mais, cette fois-ci, la perche qu'elle me tend est trop belle, faut que je lui en assène un coup sur le nez.

«Me semblait, aussi, que la marée était plus haute que d'habitude dans le Saguenay!

— Toujours aussi coloré, mon Pinson! »

Elle rit en cascades rapides et cristallines. Pas moyen de la faire relâcher ses serres, à cette épervière. Elle le tient, son Pinson. Enfin, elle croit le tenir, ce qui revient au même. Veux, veux pas, je me sens un peu comme son prochain casse-croûte.

Pour vous faire une confession générale, ma modeste personne trône au faîte de ses fantasmes, à Marilou. Tôt ou tard, selon elle, je dois fatalement tomber dans ses rets, me laisser tenter jusqu'à succomber par ses appas souverains, me retrouver dans ses tentacules, à sa merci, reniant mes égarements matrimoniaux dont elle est exclue injustement.

Elle se croit irrésistible, ce qu'elle n'est pas, elle me pense sous son charme, ce qui demeure assez loin de la vérité. Elle me harcèle de ses assiduités et elle ne rate jamais une occasion de me fournir des détails sur l'effet que je lui fais, n'hésitant pas à évoquer les épreuves les plus secrètes de ses sous-vêtements.

Sa quête se poursuit depuis deux ans déjà, depuis que, à une soirée du personnel assez bien arrosée, je lui ai accordé une danse qui se trouva être une lambada. Est-ce le contact trop direct de ma cuisse qui lui a court-circuité l'imaginaire romantique? Ou l'odeur de mâle brut que j'ai pu dégager bien malgré moi? Ou encore le climat particulièrement exaltant de cette soirée de fête? Je n'en sais rien, mais c'est un fait qu'elle s'accroche à mon paletot depuis avec un zèle obstiné.

Or, je suis le dernier des goujats. Chaque fois qu'elle me gratifie de ses sous-entendus égrillards, je lui ramène Junie dans la conversation, histoire de lui rappeler que je ne suis pas libre.

Antidote dérisoire. Elle fait semblant de ne pas entendre et recommence de plus belle à la première occasion.

C'est une belle femme, Marilou, aux yeux de la plupart des hommes, et elle fait son effet, croyez-moi; elle ne manque pas de soupirants, elle a sans doute un amant ou deux. Mais ce n'est pas mon genre et je n'y peux rien. Elle a la séduction lascive des grassouillettes, le soutien-gorge bondé de glande mammaire, la croupe joufflue, les traits réguliers mais forts, tous avantages auxquels, à ma courte honte, je demeure insensible. Ma faiblesse se situe davantage au rayon des petites maigres, au corps adolescent, sans débordements charnels.

Allez donc comprendre! Je suis à contre-courant, paraît-il. À l'heure où toutes les femmes, à partir de l'âge de dix ans, ne rêvent que d'implants, à l'époque où tout, des sourcils à la vulve, devrait être boursouflé au silicone pour espérer s'aligner sur les canons de la beauté, au moment même ou notre prospérité économique menace de s'enliser, de se noyer dans les tissus adipeux et prétend imposer l'esthétique du saindoux au reste du monde, on me reproche d'être réactionnaire, d'en être encore à m'attendrir devant les beautés décharnées aux hanches anguleuses, aux lèvres naturellement ourlées et aux poitrines contre lesquelles la gravité ne peut que le minimum. Tant pis pour ceux qui ne s'en remettent pas, ce sont mes goûts.

Comment en gérer les effets, c'est une autre affaire. Tout mufle que je sois, vais-je convoquer ma prédatrice au sommet pour m'aventurer à lui expliquer cela, crever lamentablement ses illusions, asséner un coup de madrier à sa féminine coquetterie? Il n'y a qu'à Brassens qu'on pardonnait de proclamer haut et fort, sur cinq accords de guitare: «Quand je pense à Fernande, je bande, mais quand je pense à Lulu, là je ne bande plus...»

Vérité crue et pourtant incontournable, discrimination inévitable qui ne devrait désobliger personne. Tout le monde ne peut nous faire le même effet, il me semble que ça tombe sous le sens commun. Malheureusement, il n'en est rien. Le sale type qui vous refuse, on dirait, vous indigne davantage que ne vous consolent les quelques dizaines de gentlemen qui vous accueillent. Encore une facette de la nature humaine qui occupe les divans des psychologues et fait leurs choux gras.

Un autre détail met un frein aux incivilités que je puis me permettre à l'égard de Marilou : c'est à ma patronne que j'ai affaire. Je serais très affligé que, administratrice unique de son entreprise, elle me vote à l'unanimité des vacances prolongées. Oui, je suis lâche et pusillanime. Je me défends d'encourager ses avances, mais j'hésite à leur donner le coup de grâce. Qu'on me juge! J'attends la première pierre!

«Écoute, tu me courtiseras plus tard. Pour le moment, j'ai des soucis plus impératifs, des problèmes qui m'occasionnent une funeste panne de désir.»

Et, sans reprendre mon souffle, je lui narre tout. La défection de Stéphane, la livraison périlleuse, la route du Paddock et le projet balèze de certains de m'effacer de la planète, projet qu'ils ont bien failli mener à sa conclusion. À mesure que j'en parle, je prends de plus en plus conscience de l'énormité de l'aventure et la peur monte en moi comme la marée dont je faisais état tantôt. Dans le feu de l'action, je n'avais pas réalisé à quel point j'avais eu chaud aux plumes. Je n'avais pas suffisamment pensé non plus que mes agresseurs n'allaient pas s'en tenir à leur tentative ratée. Que je n'en ai pas fini avec eux. Cette évidence me frappe de pleine discipline[10]. Je regarde avec circonspection la porte du bureau que j'ai négligé de verrouiller et c'est d'une voix de plus en plus nerveuse que je conclus mon exposé.

« Je vais aller à la police dans l'instant.

— ... »

Plus un mot, à l'autre bout. Même pas le bruit des vagues. Le silence se prolonge.

« Tu es encore là?

— Oui! Oui!

— Alors?

— ...

— Tu as une idée de ce qui se passe?

— ...

— As-tu avalé ta langue, beauté trempée? Y a-t-il un requin coquin dans ton maillot?

— Non! Non! Mets un frein à tes sketches d'exposition agricole, c'est sérieux, là. Et je n'ai aucune explication. C'est un vrai mystère. Mes affaires sont propres. En tout cas, assez pour ne pas être au blanc dans un champ de tir. »

Je lui livre les quelques fruits de ma réflexion, jusqu'à l'hypothèse d'un écart quelconque du

---

10. Cet hurluberlu a sans doute voulu faire original en renouvelant ainsi l'expression « frapper de plein fouet ». (Encore l'éditeur)

livreur régulier. Ça la rassérène quelque peu et lui rend sa faculté de s'exprimer autrement que par d'éloquents silences.

Pourtant, mes déductions hyper-logiques ne semblent pas avoir remis son esprit sur ses rails, puisqu'elle me balance incontinent:

« Je ne veux pas que tu ailles à la police!

— Hein?

— Tu as bien entendu. Pas besoin qu'ils se mettent le nez là-dedans. Pas tout de suite, en tout cas. Si les chasseurs de livreurs ne t'ont pas reconnu, tu ne risques rien.

— Mais Stéphane?

— Je pense qu'il s'est déjà poussé sous d'autres cieux. On ne le reverra pas de sitôt, mon avis!

— Mais c'est facile de savoir que j'ai pris la voiture ce matin. Le personnel m'a vu partir. Plusieurs...

— Est-ce que quelqu'un est au courant de l'attentat dont tu as été victime?

— Pas encore, je n'ai pas eu le temps de raconter l'aventure avant que tu appelles. Faut dire que le personnel n'a pas non plus la disponibilité pour m'écouter, dans le moment.

— Et la Honda, elle est où?

— Je l'ai stationnée dans ton abri de toile, à l'arrière; à reculons pour qu'on ne voie pas trop ses cicatrices.

— Parfait! Tu n'as qu'à ne pas piper mot sur l'affaire, personne ne saura rien. Ne t'occupe pas de la voiture, je m'en charge à mon retour. Je connais un carrossier qui va m'arranger cela discrètement. Je la ferai remorquer en douce; inutile de se pavaner avec, tant qu'elle attire l'attention de je ne sais pas qui. En attendant, tu peux louer une bagnole, une petite pas trop cher. Je rentre vendredi, à moins que je réussisse à trouver plus tôt une place sur l'avion. On reparlera de tout ça.»

Le jaune qui me monte au nez, ne vous y méprenez pas, c'est la moutarde. Une rogne irrépressible, impossible à endiguer, non canalisable pour en faire des mégawatts, une sainte colère qui s'exprime en vrac. Heureusement que je n'ai que la parole pour l'évacuer et la faire tonner jusqu'au Mexique. La Marilou, vaut mieux qu'elle demeure assise dans son atlantique pataugeuse le temps que passe l'orage. Moi, le plus déterminé des non-violents à l'endroit de mes sœurs en Jésus-Christ, si je l'avais à portée d'avant-bras, je ne sais pas si je pourrais contenir la mandale de première magnitude que j'ai la démangeaison de lui décerner.

«Mais qu'est-ce que tu as à cacher [...][11]? Je me fends en quatre pour te procurer des vacances en écurant comme je peux ton resto, sans participation aux bénéfices; je me tape toutes les corvées, surtout celles dont personne ne veut, y compris la livraison à des tordus qui

---

11. À la place des pointillés, mettez un très gros mot suivi d'un point d'exclamation, un vocable que je ne pratique que dans les occasion exceptionnelles et que ma mère réprouve avec la dernière rigueur. Pour tout de suite, j'en fais claquer chaque syllabe, histoire de ne laisser aucun doute à mon interlocutrice sur la culmination de ma colère.

faillent[12] me crever la carcasse. Et je n'ai pas la permission de madame de m'adresser aux forces de l'ordre! Je fais quoi, moi, en attendant que tu reviennes? Je me ronge les ongles à l'os, y compris ceux des doigts de pied? Je m'endors en toute tranquillité, sans me gratter les piqûres de poux? Je fais ce qu'on fait quand il ne s'est rien passé? Je me soumets sans broncher au verdict occulte d'élimination de ma personne?...

— Du calme! Du calme! me coupe-t-elle. On s'en parlera, te dis-je. Mais ne mets pas les flics dans le coup. C'est vrai, je ne suis pas complètement blanche. Rien de meurtrier, mais rien de totalement innocent. Quand tu es dans les affaires, il y a tellement de gens qui te cherchent des puces. Et qui finissent par t'en trouver même si tu fais le mort. Attends jusqu'à vendredi. On verra ce qu'il y a de mieux à faire. Je te rappelle régulièrement. T'es pas une lavette! Tu peux tenir quelques jours! »

Le mot magique vient d'être jeté dans la mêlée. Comme par enchantement, ma fureur retombe toute flasque et affligée de vergetures, comme une baudruche en bout de course. Elle m'a encore eu. «Rodrigue, as-tu du cœur?», faisait

---

12. Hé! les puristes! Retenez vos commentaires. Je le sais que j'ai affaire à un verbe défectif, que son présent de l'indicatif est à toutes fins utiles inusité. Si vous voulez écrire mon récit, venez d'abord prendre mon stylographe. Vous le voyez, puristes, je suis très fâché. Dans ces moments-là, mieux vaut ne pas me marcher sur la queue.

dire Corneille au vieux Don Diègue. La question qui fait les héros. Bien sûr que j'attendrai. Trois jours, c'est tout de même pas l'éternité.

Je garde pour moi mes arrière-pensées. J'attendrai, oui, mais faut pas compter que je demeure pensif et passif tout ce temps-là. Attendez que je termine mon quart de travail!

Lorsque je raccroche, je ne suis pas trop fier de moi. J'ai l'âme barbouillée de celui qui vient de se faire utiliser de son propre gré, incapable de résister à l'envie de bien paraître. Garder la tête haute, quelle imbécillité! Pour attraper des gnons plein la cafetière?

Le coup classique de la vanité, ça marche à chaque fois. Les femmes, elles nous ont toujours par là. Manipulatrices, elles sont. Les hommes, nous sommes seulement orgueilleux, pas coura-geux pour cinquante cents. Mais la dernière chose que nous pourrions supporter c'est que notre courage soit mis en doute. Une tare congénitale. Un vice de construction qui nous amène toutes sortes d'inconvénients. Il y a même à propos du cran une rivalité larvée, toujours présente, entre les représentants du sexe masculin. Comme en tout, c'est à qui pissera le plus loin. Et pour pisser loin, comme les matous qui balisent leur territoire, il faut avoir la hardiesse de dresser la queue.

Encore qu'il ne s'agisse pas là d'une vérité indiscutable. Il y a sur la question passablement de préjugés. Permettez que je vous entraîne dans une petite digression, juste pour vous reposer de ce suspense trop énervant. Un chapitre seulement, le quatre, justement. Après, c'est juré, je vous reviens avec la suite de ce palpitant récit, quitte à faire claquer quelques lecteurs plus à risque. Mais si vous avez trop hâte de voir le dénouement, transportez-vous directement au chapitre cinq. Vous en serez quitte pour avoir manqué une leçon de vie précieuse.

Chapitre 4

Christine

Citadin comme vous me voyez aujourd'hui, je ne suis que précairement adapté à la vie urbaine. Je ne m'y sens que peu de rusticité, si vous m'autorisez cette image à rebours, j'y suis transplanté dans un milieu hostile à ma nature profonde, dont je m'accommode tant bien que mal.

Ce n'est pas le grand spleen baudelairien, non, il n'y a pas de quoi choir dans le mélodrame ou les grandes envolées lyriques. Mais quiconque a connu et intégré véritablement à un moment ou l'autre de sa vie l'existence campagnarde ne peut se défendre de certaines nostalgies, de mélancolies qui le ramènent en arrière, dans des paysages bucoliques et des sites débordants d'une naturelle et intense poésie. Les espaces, sauvages ou cultivés, sont une drogue dont on n'est jamais définitivement sevré; on en garde le goût, non pas dans les yeux, la bouche ou les narines, mais dans le sang. En dehors d'eux, tout est artificiel, tout est prison. C'est à se demander par quelle aberration l'urbanisation s'est imposée sur toute la planète.

La ville, elle limite le regard aux murs que constituent les entrelacs des constructions cubiques, elle noie les sons dans le bruit, elle enferme la liberté et la spontanéité dans les mouvements collectifs, les modes sans raison ni prétexte.

Mon enfance à la ferme, elle m'a laissé le plus clair de mes vrais souvenirs, ceux qui ne s'efface-ront qu'avec moi. Je me fais quelquefois l'impres-sion d'être alzheimer. Ma mémoire échappe des événements de la veille, mais elle peut reconstituer avec une incroyable fidélité des faits qui sont survenus il y a plus de vingt ans. La régression sénile, est-ce que ça peut commencer aussi tôt?

Je devais avoir cinq ans, peut-être six, et c'était l'été. Comme d'habitude, la maison et ses dépen-dances étaient envahies par les cousins de la ville qui venaient à tour de rôle prendre un bain de nature, une cure de désintoxication. Un oncle cultivateur, pensez donc! C'était une aubaine et on en profitait. Curieux, l'inverse ne se produisait jamais. Un fils de fermier en vacances en ville? Inimaginable!

Ma sœur Christine était mon aînée d'un an. Elle avait le même âge que Jean-Yves, alors que Réal avait la même date de naissance que moi. Les deux gars étaient fils de l'oncle Wilbrod, tenancier d'une cabane à frites sur la rue principale de la ville voisine que les trop jeunes enfants embarras-saient aux périodes de forte affluence. Tant mieux! Cela faisait quatre inséparables qui quittaient la maison au petit matin et ne réapparaissaient qu'à l'heure des repas, estimée d'après la position du soleil et les gargouillements du ventre.

Drôle de ferme, en vérité que celle de mon père! Et drôle d'agriculteur que mon père lui-même! Un *gentleman farmer*, mais sans le sou. Il avait hérité à la mort de son géniteur et avait obstinément refusé de moderniser les installations. L'exploitation de la ferme n'était que peu mécanisée, et elle faisait davantage figure d'antiquité, d'anachronisme, que d'entreprise agricole florissante. Aussi était-elle peu rentable. La famille comptait plus sur des expédients pour survivre.

La terre était vaste : six lots d'un arpent de large qui filaient en ligne droite vers le trait-carré, coupés par des ruisseaux, des dénivellations et des accidents de toute nature. Une partie seulement, même pas la moitié, était occupée par la terre arable. Le reste se partageait entre les savanes, les boisés et les proéminences rocheuses, les *crans*, comme on les appelle chez nous, où les bleuets sont abondants et juteux.

Pour quatre enfants curieux et imaginatifs, c'était un royaume aux trésors inépuisables, d'une infinie variété.

Les jours s'écoulaient paisibles, sans qu'on y pense, dans les pacages où nous courrions en suivant les sentiers creusés par les vaches qui venaient à l'étable et à la queue leu leu se faire traire matin et soir. Le temps s'enfuyait toujours trop vite dans les bois jouxtant la maison familiale où nous aménagions des campements berceurs sur les rameaux longs et touffus des grands pins ou des épinettes géantes. Déserté par les bêtes durant la saison chaude, le bâtiment principal de la ferme était notre empire avec sa grange, son fenil, son poulailler et son étable dont les parfums musqués s'imprégnaient dans nos vêtements et nos cheveux pour nous accompagner partout. Nous y organisions d'inoubliables parties de cache-cache fondées sur des règles que nous dictait notre inspiration du moment.

Nous, les garçons turbulents, avions aussi découvert depuis longtemps comment on joue à qui pissera le plus loin. Lorsqu'une envie prenait à l'un d'entre nous, il n'était pas rare que tous s'y mettent pour une compétition amicale, quoique farouche, qui conférait au gagnant un ascendant naturel sur les perdants. C'était pour nous aussi innocent que de courir après les écureuils.

À ce jeu-là, je n'étais pas le meilleur, mais j'arrivais souvent bon deuxième, surtout quand j'avais la chance de me retenir un certain temps avant que ne vienne mon tour d'affirmer mes talents. Il m'arrivait même de tricher, oh horreur! et de ne déclarer mon besoin qu'une fois les autres compromis. Sans doute, mes cousins agissaient-ils de même manière, sans pour autant se confier à moi.

Nous avions dédié un site à ces enfantines épreuves de force. Pas un site WEB, évidemment, ça fait plus de vingt ans de cela. Un site physique.

La grange comportait une porte sur chacun de ses flancs. L'avant était percé d'une immense ouverture fermée par deux battants, qui faisait la moitié du mur et qui permettait aux charrettes pleines de foin d'accéder, pour leur déchargement, à un plancher d'épais madriers disjoints, désigné comme la «batterie» en souvenir d'un temps lointain où le battage des grains de provende s'exécutait à la force des bras prolongés par un fléau articulé. À l'arrière, toute extravagance ayant sa compensation, c'était au contraire une toute petite porte qu'un adulte ne pouvait en aucun cas franchir sans se baisser. Celle-là ne donnait pas sur un libre passage. Mon père y avait aménagé, à environ un demi-mètre du mur extérieur, une claie de planches verticales surmontées d'un madrier horizontal, qui permettait, par le calibrage de ses claires-voies, de nourrir les veaux sans que les bêtes plus âgées puissent s'approprier leur pitance.

Les bouts d'hommes que nous étions montaient sur cette structure pour donner leur prestation, sous l'œil appréciateur des deux autres qui agissaient comme juges à tour de rôle.

Pas très olympique, comme sport, me direz-vous! Assurément, Pierre de Coubertin n'aurait jamais osé tolérer le tir au pénis à côté de disciplines comme la course à pied, le patinage de vitesse ou le triathlon. Mais qui vous dit que les Grecs de l'Antiquité ne le pratiquaient pas? Tout compte fait, on sait si peu de choses à leur sujet, sur leurs passe-temps, surtout. Eux qu'on représentait tout nus pour lancer le javelot ou le disque, ne s'adonnaient-ils pas à d'autres épreuves d'une nature bien différente, sans accessoire artificiel? Et puis, lors des compétitions modernes, bien que l'activité ne fasse pas partie du programme officiel et qu'elle se déroule devant un public restreint, Dieu sait si on les fait pisser, les athlètes. C'est à qui fera fondre l'éprouvette de pyrex par la seule vertu de sa concentration en anabolisants.

Sans doute ne serez-vous que peu étonnés d'apprendre que Christine, en dépit du plaisir très garçon qu'elle prenait en notre compagnie, gardait ses distances avec nos concours de braguette. Elle les réprouvait silencieusement. La plupart du temps, pendant que nous procédions, elle s'inventait une autre occupation quand elle n'allait pas, la vessie stimulée par l'idée du liquide, se soulager à la maison ou dans un coin plus discret. Nous la harcelions quelquefois, sans trop d'insistance, sans beaucoup d'espoir non plus ; c'était juste une façon de lui rappeler sa condition de dominée, de lui inspirer insidieusement le respect du mâle, si bien équipé pour les compétitions d'élite. Bien entendu, elle n'avait cure de nous donner satisfaction.

Sauf une fois. Une mémorable exception. Allez savoir ce qui l'a décidée tout à coup à s'inscrire dans la file des compétiteurs. Ses motifs me sont toujours restés mystérieux. Et ce n'est pas aujourd'hui que j'irai les lui demander. Elle a maintenant époux et enfants et, sans qu'elle m'en ait jamais reparlé, je sais qu'elle ne veut plus se souvenir de ce bref épisode, qu'elle en rougit en secret, comme d'une grave erreur de jeunesse qui aurait pu compromettre à jamais sa réputation. Même en lisant mon bouquin, elle refusera de s'y reconnaître.

Se dépatouille qui pourra dans la psychologie des femmes. Moi, je renonce. Freud lui-même n'y a jamais rien entendu, et ce n'est pas faute d'avoir essayé ni d'avoir formulé des hypothèses. Ce que nous, les gars, considérons comme de l'audace ou comme un bon tour, ce que nous racontons avec fierté ou en nous claquant les jambons, elles n'y voient que honte et impudeur, matière à s'empourprer de haut en bas.

Et pourtant... Il y aurait davantage pour Christine prétexte à s'enorgueillir. Et, à ce moment-ci du récit, là, je ne demande à personne de me croire. C'est énorme, ce que je vais vous dire. Ça remet en question tous les préjugés à ce sujet, tous les dogmes qui soutiennent l'édifice de nos prétentions patriarcales et de la condition masculine. Mais, je le répète, vous n'êtes pas obligés d'y ajouter foi. Ni non plus de poursuivre votre lecture plus avant.

D'aucuns, d'ailleurs, vont encore dire que je pousse la blague trop loin, que je n'ai pas le sens de la mesure. Je les vois d'ici chercher fébrilement des yeux le sac à ordures pour y jeter la preuve de mes extravagances, en regrettant les quelques dollars investis à si mauvais escient. Pas question de souiller plus longtemps leurs étagères avec un pareil brouillon, une littérature de bécosses[13] indigne de leur plus miteux placard. Que voulez-vous! J'admets que mon livre ne soit pas automatiquement promu au statut de

---

13. Vespasiennes, chiottes, pour les non-initiés aux truculences de chez nous.

manuel scolaire. Je ne nourris pas non plus l'ambition qu'il surclasse *Le Code da Vinci* au palmarès des best-sellers. Il faudrait que Rome le condamne, pour ça, et je conviens qu'il ne mérite pas autant d'égards.

Mais il y en a qui sont accros et qui me pressent de poursuivre. Ceux-là considèrent à juste titre que je tergiverse, que j'hésite à cracher la vérité, par peur du scandale. C'est vrai, c'est trop démesuré. Je gagne du temps à grands coups de mesures dilatoires. Mais puisqu'il faut y aller, eh bien plongeons!

Christine, elle nous a battus tous les trois. Et pas approximativement. D'une manière si décisive qu'aucun de nous n'a cherché à contester sa victoire, pas plus qu'il n'a songé à lui arracher dans un avenir incertain son championnat insigne. Nous n'avons eu qu'à retourner, penauds et humiliés, à nos exercices. Nous venions de constater à quel point nous avions de l'entraînement en retard. Comme lorsque, sur un parcours de quinze cents mètres, un illustre inconnu de la veille abaisse le record mondial de trente secondes d'un coup.

Avec nos humbles arrosoirs à pissenlits, siège jusqu'alors incontesté de notre sentiment de supériorité, nous avions l'air finaud. Jamais, auparavant ni après, je n'ai vu fermetures éclair remonter aussi vite. Dans cette discipline, au moins, nous pouvions rivaliser avec elle.

Mes lecteurs accros de tantôt, ceux qui me restent fidèles malgré tout, je les sens à l'inspiration qui continue de pousser mon stylo. Dans ce lectorat à demi déserté, je vois ici et là des mains qui se lèvent. Des détails, vous dites? Comment ça s'est passé? Comment elle a fait ça, Christine? Ah! Vous êtes des voyeurs, mes amis! Quoi! vous en voulez pour votre argent? C'est vrai, vous avez payé pour savoir. Je vais essayer de vous en dire un peu plus, mais si vous comptez sur de la pornographie, et infantile de surcroît, autant vous dire que vous serez déçu. Et c'est correct comme ça. Je n'aurais jamais entrepris d'écrire ce chapitre si j'avais pu soupçonner que mes propos iraient nourrir l'imaginaire tordu de quelque pédophile.

Christine, elle n'a pas fait un excès de mise en scène. Quand j'ai dit tantôt qu'elle avait pris la file, je n'ai pas précisé sa position à l'intérieur d'icelle. Cela me semblait inutile, vu que vous aviez déjà saisi qu'elle s'était mise au dernier rang. Mais sans plus d'hésitation. On aurait dit que, une fois sa décision prise, elle n'avait plus aucune question à se poser.

À son tour de monter sur l'estrade et juste avant d'atteindre le podium, elle y est allée d'un pas ferme, comme si elle avait toujours fait ça. Elle savait aussi bien que nous se tenir en équilibre sur le madrier étroit.

Moi, je restais stoïque, vaguement inquiet des sarcasmes qu'elle risquait de s'attirer. Pendant ce temps, mes cousins se regardaient de biais, avec des ébauches de sourires rentrés. Ils s'attendaient manifestement à être incessamment couronnés rois de la planète. Je n'avais pour ma part aucune certitude dans ce sens.

Sans rien montrer de son anatomie, d'un geste preste et infiniment élégant, elle a passé deux doigts sous sa robe et baissé sa petite culotte blanche. Après un moment de perplexité, une moue d'indécision, elle a décidé de l'enlever complètement, histoire de donner du champ à ses jambes.

Et c'est là que nous avons pu voir... à quel point la jupe, portée avec adresse, peut constituer un accessoire polyvalent. Autant elle peut autoriser les indiscrétions opportunes, autant elle est en mesure de décourager les regards non désirés. Christine, elle n'a remonté qu'un tout petit peu le bas de sa robe, en prenant bien attention à ce qu'une manifestation de la brise ne lui ravisse son effet.

Vous savez, sans les mains, les gars eux-mêmes ne sont pas très brillants dans ce genre de situation. Impossible de refuser aux filles les mêmes prérogatives.

Et tout est allé très vite. Elle a cambré très fort les reins avant de lancer un jet puissant. Un quart de seconde lui a suffi pour ajuster le tir. Et ça a été le feu d'artifice[14]. Elle a pulvérisé, d'un seul

---

14. Vous êtes surpris, n'est-ce pas, que je n'aie pas écrit «feu d'artifesses». Vous auriez aimé ça, avouez-le, ça vous aurait fait sourire et vous auriez pu trouver matière concrète à vos critiques et à votre mépris. En dépit de tout ce que peuvent dire mes détracteurs, c'est pas un torchon que vous avez entre les mains. Je ne vais tout de même pas tomber dans la facilité, juste pour vous faire plaisir.

effort, toutes nos vanités, toute notre superbe. Cela n'a duré qu'un instant, trois secondes tout au plus. Ma sœur, elle mettait non seulement de la pression, mais aussi du débit. L'instant d'après, la robe était retombée, et on aurait pu croire que l'événement n'avait jamais eu lieu.

Le vague sourire de mes cousins s'est mué en consternation, pendant que Christine remettait sa culotte en place posément, d'un air digne et énigmatique, avec la même élégance et la même retenue qu'elle avait affectées pour s'en départir. Le silence était palpable, il aurait pu être repeint en bleu. Inutile pour elle d'ajouter aucun commentaire, tout était dit.

En ce qui me concerne, il serait certes exagéré d'affirmer que j'ai été proprement renversé par l'exploit. Les deux autres rêvaient d'un échec cuisant, je le craignais plutôt, mais pas au point de trembler. Je connaissais bien Christine. Toute mon enfance, elle a été ma protectrice, à l'école, en tout lieu et en toutes circonstances. Pour me défendre, elle n'hésitait pas à sortir les griffes, même à échanger des coups avec les garçons plus vieux et plus grands qu'elle. Son léger désavantage en force physique, elle le compensait doublement par sa détermination, sa rage de l'emporter. J'avais pour elle une admiration sans bornes que son dernier trophée n'était pas pour amoindrir. Jamais je ne l'avais vue s'aventurer dans une entreprise qui l'aurait condamnée à mordre la poussière. Elle venait d'ajouter un accent circonflexe à cet aspect de son tempérament. Et puis, ma sœur, elle était toujours la plus jolie de toutes. Aujourd'hui encore, je vous jure qu'elle vaut le détour. Si vous passez par là, si vous décidez de vérifier mes dires, saluez-la de ma part et assurez-la de mes bons sentiments, fraternellement tendres.

Mais ce qui me laissait pantois dans sa prestation n'avait en aucune façon été dévoilé. Je ne pouvais qu'imaginer le surprenant brise-jet qui lui avait permis de réaliser semblable performance. Bien sûr, même à cet âge, je n'étais plus parfaitement angélique et je savais les différences qui distinguent les filles des garçons. C'est bien connu, les vêtements finissent toujours par trahir ceux et celles qui les portent. On dirait même qu'ils sont faits pour ça, qu'ils ne sont destinés qu'à aiguiser la curiosité, jamais complètement satisfaite et toujours en état d'alerte. En rapport avec Christine, plus jeune, je me souvenais que notre mère nous mettait ensemble dans le bain pour nous débarbouiller. Mais je ne me posais pas de questions, davantage préoccupé par le crocodile vert que j'appelais pertinemment Alligator et qui me servait de jouet pendant que mon postérieur trempait dans l'eau et que j'éclaboussais toutes choses.

Cette fois, le contexte était totalement différent. Il ne s'agissait plus de morphologie anatomique, mais de son exploitation, de son exercice. Dans ma crainte d'avant, il y avait l'impression que ma sœur allait se ridiculiser en dévoilant une infirmité et ternir ainsi l'image de la famille. Qu'elle se soit sortie de l'épreuve de façon aussi éblouissante me laissait sans voix, envoûté. Elle s'en était tirée sans aucune vulgarité, avec majesté même. Par son attitude encore plus que par son exploit, par sa parfaite maîtrise de la situation, elle nous remettait tous trois à notre place, sans même nous narguer. Sa supériorité demeurait intacte, sans le moindre ombrage. Et, mes cousins, si imbus d'eux-mêmes en raison de leurs origines citadines, ils n'en menaient pas large non plus.

Les filles, elles sont comme ça. Elles apprennent plus tôt que nous à utiliser les ressources de leur corps. Est-ce inné, ou bien pratiquent-elles en cachette jusqu'à ce qu'elles soient sûres de leurs moyens? Vous pouvez toujours leur poser la question, elles ne vous le diront pas. Posez-la à toutes, vous n'en saurez pas davantage. Le mystère féminin, il se pourrait bien qu'il repose en fait sur une conspiration du silence, aussi vaste que le monde. Toujours est-il que, lorsque vient le temps de jouer devant un public, les filles sont en contrôle, elles savent leurs répliques. Et les garçons peuvent toujours faire la roue, ils ont intérêt à rester vigilants.

De mon point de vue, la métaphysique n'est pas, comme le prétendent les théologiens pontifes, le troisième degré d'abstraction. Elle est au contraire très près de la réalité concrète. Voyez plutôt ça: en me remémorant cet épisode de mon enfance, je m'étonne qu'on représente systémati-quement l'être suprême sous les traits d'un homme. Il est Jupiter, Dieu, Jéhovah, Allah, Vichnou, Bouddha et bien d'autres, il est masculin sans ambiguïté et on lui prête effrontément des attitudes de mépris envers l'autre sexe. On m'objectera qu'il y a Kâli; or, c'est la déesse de la mort, armée jusqu'aux dents, ce qui contredit fermement ses fonctions utérines; c'est ni plus ni moins la Faucheuse de notre mythologie occidentale. Vous me direz aussi que tout cela n'a pas d'importance. Pas sûr! Il y a des tas de conséquences à une vision pareille.

Primam partem tollo quia nominor Leo
Secundam, quia sum fortis, tribuetis mihi.[15]

Quelle prétention! Plutôt féodal comme système. La naissance précède le mérite. Mais par quelle étourderie, par quel accès d'incohérence à virus un dieu masculin, macho de surcroît, aurait-il confié aux femmes la part la plus sublime de son pouvoir créateur. Continuons à méditer, mes frères. La réflexion, peut-être, nous conduira à savoir qui est le roi de la jungle et pourquoi nous le sommes.

---

15. Vos déclinaisons latines sont loin? Je vous propose une traduction libre: «Je prends la première part parce que je m'appelle Lion. La seconde, vous me la concéderez parce que je suis courageux.» Il s'agit de deux vers tirés d'une fable de Phèdre (Caius Julius Phæder), qui ont notamment inspiré l'expression «la part du lion». Voyez comme mon propos peut être didactique, lorsque, à deux mains, je me donne la peine d'essorer mes méninges.

Chapitre 5

Strauss

Décidément, j'aurais dû rester couché, ce matin. Peut-être même que tout aurait été mieux avec moi inscrit pour la journée aux abonnés absents.

Personnellement, j'en aurais tiré passablement d'avantages. Plutôt que de jouer le matamore malgré lui et de me retrouver avec le rôle d'Elliott Ness dans les *Incorruptibles*, je me serais langoureusement vautré dans le lit avec Junie.

Elle a congé aujourd'hui. Nous aurions pu rêver tard, déjeuner lentement et copieusement en tenant les propos matutinaux, fertiles en projets et en visions d'avenir. Une fois sustentés, nous aurions pu redormir un peu, genre somme d'amour qui fait les plus beaux bébés du monde.

Nous en voulons, des bébés, et beaucoup. Dans nos conversations plus ou moins cousues, nous les aimons comme s'ils étaient là, ils ont déjà un prénom chacun, ils sont filles et garçons, ils ont même leur caractère et leurs petites manies. Ils sourient aux anges, tètent comme des petits cochons roses, disent leurs premiers mots en inventant de charmantes maladresses. Quand nous en parlons, c'est nous qui devenons des bébés. Des demeurés, plutôt. S'il fallait qu'on nous entende!

À l'heure qu'il est, quatorze, dix-huit et quarante-trois à peu près, en heures, minutes et secondes, nous serions chez le médecin où elle a rendez-vous pour un examen de routine. Nous chuchoterions sur la pointe des pieds, nous partagerions les exhalaisons d'inquiétude qui hantent ces salles d'attente, qui en imprègnent les murs, en nous demandant si, des fois, quelque part, quelqu'un n'aurait pas tiré notre nom d'un chapeau quelconque où il aurait été mis à notre insu. À la loterie qui a cours légal dans les cabinets de consultation, la seule que Loto-Québec ait renoncé à contrôler, je ne connais personne qui veuille décrocher le gros lot.

Je n'aime pas la laisser seule dans ces sortes d'endroits. La santé, c'est ce qui nous tient en vie.

Il y a encore des protestataires de lecteurs, des empêcheurs d'écrire en rond qui vont prétendre que je viens de proférer une lapalissade. Croyez-vous? Écoutez plutôt ça: condamné, tu es déjà mort, y a plus qu'à alerter les pompes funèbres. Pour être, il faut être immortel. La mauvaise nouvelle est pire que l'événement qui y donne prise. Elle te détruit plus sûrement que la Faucheuse.

Je crains profondément les offices de médecins, les médecins tout court tant qu'à y être, ces juges de notre longévité et de notre échéance qui peuvent nous tuer rien que d'une sentence. Remarquez, tous ceux que je connais sont des personnes charmantes. Et notez au passage mon sens politique : je ne vais tout de même pas les insulter. Ils sont capables de me trouver une bibite[16], chancre, carcinome, mélanome, onco-je-ne-sais-quoi, leuco-fouillez-moi, hémato-chose. En plus, pour savoir approximativement de quoi nous sommes menacés, il nous faut suivre les méandres d'un vocabulaire mouvant, intentionnellement hermétique, qui, paraît-il, explique nos fins dernières sans les justifier jamais. Que les médecins soient charmants ne change rien, le job de bras auquel ils s'adonnent me les rend redoutables. Il flotte autour d'eux des relents eschatologiques persistants, comme dans l'office du tabellion à qui vous confiez la rédaction de votre testament.

Ainsi donc, pour revenir à nos ovins, les miens, en l'occurrence, lorsque j'émerge par l'escalier de ma longue et délirante conversation téléphonique, je mesure l'inanité de mon dernier réveil. Ma productivité pour aujourd'hui, c'est zéro, et il n'y a pas de retenue pour la colonne précédente. La livraison que j'attaquais avec énergie n'a pas eu lieu. À la place, j'ai mis les pieds dans un plat rempli de mélasse où je continue de patiner. Un rapide balayage de périscope me confirme de plus que j'ai raté toute la bousculade du dîner. Le restaurant est vide et les

---

16. Même si le dictionnaire n'en fait pas état, tout le monde sait qu'une bibite est une bête dérangeante, insecte ou vertébré. Me permettez-vous d'employer le mot dans son sens figuré, comme ça, sans façon, ou bien faut-il que je fasse au préalable sonner du clairon ?

tables sont propres, prêtes pour le prochain arrivage.

Au comptoir, le personnel poinçonne le départ en cadence. Du vacarme de tout à l'heure, il ne reste plus qu'un bruit de fond en provenance de la plonge. L'établissement récupère. Bastos a repris la caisse que Diane a délaissée pour vaquer à ses affaires personnelles. Dans ses temps libres, il passera l'aspirateur dont le long boyau, pour le moment inanimé, muet et inoffensif, serpente justement dans le passage entre les loges.

«Une chance qu'on t'a eu!» persifle-t-il à mon adresse, comme pour ajouter encore à mon sentiment d'inutilité.

«Vous avez réussi à vider, c'est le principal.

— Pas tout à fait encore, mais ça s'en vient. Regarde qui est là. Ça va te réjouir.»

Je m'avise alors de la présence d'un dernier dîneur. Strauss! Un client que je connais, que je reconnaîtrais de dos entre tous.

Il est d'un modèle particulier, à vrai dire. Son occiput passablement déplumé hérisse des touffes de poil gris qui n'ont pas vu le peigne depuis le débarquement des Anglais au pied du cap Diamant. Le retrait récent du chapeau de feutre, crasseux et défraîchi, qui trône sur le bord de la table explique au moins partiellement sa mise en pli douteuse.

Strauss, c'est pas lui qui va sauver la maison de la banqueroute, il ne paie jamais; si bien qu'on ne se donne même plus la peine de lui imprimer une facture. Ensuite, il ne vient pas lorsque la patronne est là. Elle lui fait des scènes horribles, le voue aux gémonies, à la police et à tous les diables. «Il fait fuir les clients!» qu'elle dit. Et puis, «mon commerce, ce n'est ni une organisation caritative, ni la Soupe populaire. Qu'il aille exhiber sa sébile ailleurs. Et s'y faire pendre, aussi, si l'inspiration lui en vient!» Aujourd'hui, il a dû sentir qu'elle est dans le Sud pour pointer son nez couperosé tout à coup. Ça fait plus de deux mois qu'on ne l'a pas vu, si bien que je me demandais si l'hiver n'avait pas eu raison de sa carcasse, promise de toute façon à une dose létale d'hypothermie.

Il est installé dans la dernière loge à droite, face au mur. C'est un discret. Il semble préférer les champs de vision limités. Agoraphobe, peut-être? L'œil torve qu'il a quand il vous regarde, hésitant à fixer, tendrait à le démontrer.

Moi, je ne fais ni une ni deux, je me précipite et vous savez comment je réagis? Je le saisis par le cou et lui flanque... un gros bec au-dessus de l'oreille, là où les cheveux rares ont le parfum musqué de l'urine de chat pas fraîche. Puis je l'observe avec attention, pendant qu'il laisse errer son regard sur le mur, évitant minutieusement le mien. Au liquide plus abondant qui fait étinceler son œil, je sais qu'il est content de me voir et qu'il apprécie, quoique gêné, mon élan spontané d'affection.

«Je te croyais mort, depuis le temps.

— Tut! Tut! Tut! Mieux vaut ne pas invoquer le diable, si on n'a pas absolument besoin de ses services. Moi, je m'en passe toujours, comme tu vois. »

Il a une voix de crécelle rouillée, trop haute, râpeuse, ravinée par les mauvais alcools dont il abuse délibérément. On y distingue pourtant un accent étranger, pas exactement français mais certainement européen.

J'ai l'estomac dans les souliers, tout à coup. Il faut dire que mon déjeuner est passablement loin. Comme j'ai encore devant moi de longues heures de travail, et bien que je remorque toujours l'impression de n'avoir encore rien fait de constructif depuis le matin, je décide d'accorder une pause à mon insignifiance.

«Bastos, tu serais gentil de me commander une salade au poulet.

— Avec plaisir, chère patronne par contumace.»

Et je m'assieds bien en face du clochard, qui avale posément sa soupe, enfournant entre chaque cuillerée de grosses bouchées de pain dont les miettes postillonnent entre ses chicots et m'éclaboussent chaque fois qu'il ouvre la bouche pour parler.

Strauss, il n'a pas changé depuis la dernière fois. Il semble immuable comme l'éternité, il a toujours été là et on a l'impression qu'il y sera toujours. C'est le lot des itinérants. Ils ont atteint le fond de leur descente, un seuil infranchissable qui les conserve dans leur état aussi bien que le ferait le formol. Cela, jusqu'à ce qu'ils s'absentent d'un seul coup, infarctus, rupture d'anévrisme ou cirrhose, allez donc savoir. Jamais on ne se donne le mal de les autopsier, allez. On craint de les toucher, même avec des gants de chirurgien. C'est un bon débarras, ça en fait un de moins.

C'est comme cette femme qui a hanté la ville pendant une quarantaine d'années avec l'allure d'une vraie sorcière, qui mendiait pas mal, se prostituait un peu, se faisait entretenir quelques jours ici et là par un ivrogne violent et peu scrupuleux avant de retourner à la rue, sa vraie patrie; Furie, qu'elle s'appelait, ou plutôt qu'on l'appelait; un bon matin, on l'a retrouvée morte mystérieusement entre les portes d'une église. Bien fait! C'est ce qu'on a dit.

Mais, les clochards patentés, ils emportent avec eux un morceau du paysage, sans qu'on veuille l'admettre. Ils laissent un vide dans le regard de nombreux citadins, qui se garderont bien d'en toucher mot, cependant. Personne n'écrira leur histoire, ils ne sont rien. Juste un nom non déclaré sur un improbable extrait de naissance, un vocable qui les décrit plus qu'il ne les nomme, un trait de caractère condensé en un seul mot, un lieu de provenance quelquefois. Et ils sont interchangeables. À la place d'un clochard, un autre fait tout aussi bien l'affaire.

Le mien, il a toujours sa bouille de chien perdu, sous une barbe de quelques semaines plutôt fournie et entretenue au râteau à foin, qui laisse entrevoir le teint blafard d'une perpétuelle gueule de bois. S'écartant fortement de chaque côté d'une tête étroite et longue, rectangulaire, il a de grandes oreilles qui dépassent les bords de son inénarrable chapeau, un torchon déformé peu engageant qu'il n'enlève que pour les grandes cérémonies – comme pour une soupe refroidie au Crotale Sonné – sans se préoccuper outre mesure de la botte de foin sous-jacente.

Deux sites tranchent dans ce paysage. Ses lèvres minces déterminent une ligne en dents de scie, couleur bordeaux, qui serpente tant bien que mal entre deux commissures d'inégale hauteur. Lorsqu'elles s'entrouvrent, elles laissent apparaître un clavier ébréché de notes noires et jaune foncé auxquelles s'accrochent des reliefs divers; juste à se curer les dents, il doit pouvoir récupérer une substantielle collation. Quant à son pif, il existe peu de mots pour le décrire. Il pourrait consoler Cyrano des erreurs de la nature et la tirade du nez ne serait certes pas la même si Rostand eût vu ça. Si j'en parlais au ministre de la culture, il serait assurément classé monument historique. D'abord, c'est gros, avec une terminaison ronde, une gibbosité qu'un clown ne dédaignerait pas. Et c'est coloré. L'arc-en-ciel, en plus violent. Il y a du bleu profond, du rouge incarnat, du jaune foncé. Pour faire tout son effet, il ne lui manque que de flasher en alternance, comme les feux d'une ambulance.

Pour bien vous faire apprécier mon ami, pour vous le décrire fidèlement, je dois vous entretenir absolument de deux autres caractéristiques indissociables de sa personne.

Un. Il y a longtemps que sa tenue est sortie de chez le maître tailleur. Et personne ne le demande pour le prochain défilé de mode. Je le soupçonne pourtant de porter une petite garde-robe sur lui, surtout en ce moment de l'année où les jours ne sont pas très chauds et où les nuits demeurent glaciales. S'il se mettait à jouer les effeuilleuses, il en aurait pour plusieurs heures. Par les trous de ses chandails superposés, on en découvre d'autres, de couleurs diverses, en nombre indéterminé. Pardessus ce feuilleté de lainages, Strauss a posé un veston vert olive qui fut sans doute de bonne coupe du temps de Louis Saint-Laurent. Où a-t-il pu dénicher ce vêtement de serge luxueux quoique suranné et malpropre? Les ordures ménagères sont une mine dont on ne soupçonne guère les ressources lorsque, par respect humain, on s'en tient à bonne distance.

Deux. Strauss traîne dans son sillage une aura olfactive impossible à rater dès qu'on s'en approche à moins de cinq mètres. Je ne sais pas ce qui distille exactement dans la touffeur de ses guenilles, mais ça pourrait le disputer en intensité à une usine de pâte chimique. Avec des variantes qualitatives, toutefois. Il dégage des odeurs de sueur surie, d'humeurs rances, de souliers qui grimacent et de chaussettes surchauffées, de caleçon long apprêté au cambouis, de bobettes[17] négligées et de raie culière mal tenue. Son haleine est à tuer les mouches, à croire qu'il s'est partagé vos poubelles avec le chien de la maison du coin.

---

17. Substantif féminin pluriel, conséquemment invariable en genre et en nombre, synonyme de petite culotte.

Tout cela vous donne à comprendre la précipitation que Bastos met à me servir ma salade. Il dépose un napperon et des ustensiles avec des gestes vifs, pose l'assiette remplie et s'en retourne au pas de course à sa caisse, le tout sans avoir dit un mot ni même repris son souffle une seule fois. S'il arrive à tolérer mon itinérant d'ami, il ne tient pas à le compter parmi ses familiers. Il me reproche même cette inconséquente fréquentation, croyant que je vais attraper quelque parasite indésirable, ou encore une hépatite à virus quatre étoiles. Je le rassure du mieux que je peux, sans parvenir à gommer sa moue dédaigneuse. Mon avis, c'est que, compte tenu de l'environnement où il vit et auquel il survit, Strauss risque bien plus de me passer des anticorps que des microbes. Pour ce qui concerne les poux, disons que je prends des précautions élémentaires; par ailleurs, je me désintéresse tout à fait de sa réserve à morpions. Je connais bien des gens qui se sentiraient souillés du seul fait de le regarder, mais qui raffolent d'un dogue miteux aux émanations délétères dont ils n'hésitent pas à mordre le museau affectueusement.

« Alors, les affaires? Ça marche ou ça court?

— Tu en as de bonnes, toi! Des affaires! Comme si j'en avais. Je me contente de vivre. C'est bien suffisant pour combler mes ambitions et tout le monde devrait faire pareil. Y a bien ma firme de bouteilles vides. Celle-là, elle dégage quelques profits, sûr, mais c'est pas encore cette année qu'elle sera cotée en bourse ou qu'elle versera des dividendes aux actionnaires. Faut dire que les temps sont durs du côté des récipients consignés. Y a trop d'écolos. Même que tout le monde l'est un peu. Dans le temps, une bière vide, on en disposait n'importe où, mais plus maintenant. Si on pouvait, on n'hésiterait pas à me mettre en faillite à force de récupération et de protection de l'environnement. Comme si, moi, j'étais incompétent dans ces champs d'expertise. Me v'là condamné à faire de maigres bacs à déchets. Il me faut sans repos prendre les éboueurs de vitesse, écumer leurs circuits avant qu'ils ne surviennent, leur subtiliser presque sous le nez ma pitance quotidienne et le coût exorbitant de ma vinasse. Ça, c'est dur. Des vraies corneilles dans le petit matin, mes potes et moi : on tâche de faire moins de boucan, mais on est confrontés aux mêmes épreuves. Moi, travailler à heures fixes, tu sais ce que j'en pense. Pouah! J'ai pas la vocation. J'ai même l'inclinaison inverse. J'veux surtout pas me retrouver comme dans le temps, à bosser en malade pour des mets délicats, des grands crus, des fringues à queue d'égoïne, des crèches de luxe. J'ai abjuré sans retour cette religion-là. Les pompes de la consommation, je m'en torche l'œil, et le bon, fais-moi confiance. »

Et voilà, il a quitté son aire de lancement, le copain. Sous des dehors réservés, au fond, il a la mèche courte. Il suffit de l'amorcer avec la bonne question, celle qui le provoque sans en avoir l'air. Et le voilà parti, de son accent pointu qui n'est pas sans contraster avec sa voix cassée. Il est intarissable. Il a une opinion sur tout, généralement assez tranchée et peu orthodoxe. Son bagout truculent et toujours ironique m'amuse. Sa culture est vaste et étrange, peu conformiste, elle vous sort résolument. Grâce à lui, je visite des mondes, des univers parallèles auxquels je n'aurais jamais accès autrement et que même les agences de voyage mépriseraient si elles les soupçonnaient.

La conversation se poursuit sur le même ton. Je pose de courtes questions, il me prodigue de longues réponses. Il parle d'abondance, mais presque sans gestes, juste de tout petits signes, comme s'il craignait de s'approprier trop d'espace. J'apprends ainsi qu'il s'est aménagé un home, réputé confortable, sous la galerie extérieure d'un taudis de la basse ville. Il a entassé là toutes les retailles de laine minérale isolante qu'il a pu trouver sur les chantiers de construction. Il s'introduit par un passage étroit dans ce terrier où il a à peine de la place à tenir à l'horizontale. Après avoir colmaté toutes les brèches, il peut dormir sans craindre les engelures.

«La laine isolante, c'est de la fibre de verre. Méchant pour les bronches. Mais c'est pas pire que de cracher ses poumons à cause d'une vilaine grippe, imparable quand on gèle toute la nuit après une journée à courir dans la bise. Le pire, c'est que mon installation excite les convoitises. Une fois, en rentrant, j'ai trouvé un gredin qui avait décidé de squatter mon condo. J'avais beau lui secouer les pieds, lui ordonner de me rendre mon bien, je n'obtenais que des grognements de verrat. Pour le faire sortir de là, devine ce que j'ai dû faire!

J'ai ramassé un nid de guêpe gelé et je l'ai balancé dans mon palais. Dix minutes après, quand la colonie s'est dégourdie grâce à la chaleur du bonhomme, tu aurais dû le voir s'éjecter! Un peu plus, il emportait la galerie. Les guêpes sont retombées dans le froid et j'ai pu reprendre ma propriété, tout seul. Y a pas de place pour un coloc, chez moi. D'abord, le bain tourbillon, il est virtuel. On en rêve la nuit, c'est le mieux qu'on peut faire. Déjà que mon parfum est un peu juste, s'il fallait qu'on y ajoute celui d'un pareil, ce serait l'asphyxie sans combat. Et de quoi nous aurions l'air à deux là-dedans. Tout le monde croirait que mes mœurs dérapent. Pas qu'on soit contre les pédales, chez les cloches. Mais on a son orgueil. La direction de ta rose des vents, c'est une oriflamme. Tu y renonces, tu n'es plus rien. Rien qu'une girouette. Une guedoune.»

Ce dernier mot ne lui tient pas bien dans la bouche. Il s'essaie quelquefois au langage québécois, mais il y demeure gauche.

Comme il a fini de manger sa soupe et dévoré trois petits pains garnis de beurre, il met la main dans sa poche de veston et dépose sur la table une dizaine de mégots, accompagnés d'une myriade de grains de tabac plus ou moins ignés qui font des points noirs et bruns sur le napperon.

«Tu permets que je tire une touche?

— À moins que tu en sois à fumer des condoms usagés, pas de problème.

— Je t'offre une cousue main, fiston?

— Merci, tu es gentil. Je n'ai pas encore les moyens de me payer ce luxe-là. Je dois dire aussi, pour être honnête, que le fruit de tes travaux de récupération ne m'inspire pas.

— Tu as tort de faire le bec fin. Le tabac, c'est du tabac, peu importent sa provenance et les manipulations qu'il a subies. Tu surveilles ta santé, c'est ton droit et ton problème. Il y a longtemps que ces considérations ne m'atteignent plus. Dans mon monde, on vit et on meurt, un point, c'est tout. Quand on vit, on prend ce qui passe. Quand y a que la maladie qui passe, on la prend comme le reste. Après, quand on sera morts, on verra bien. La fumée du tabac, vois-tu, c'est le plaisir le plus accessible. Ça ne coûte rien, il n'y a qu'à se pencher pour ramasser la dilapidation des autres. Et l'effet est instantané. Tu vois la vie différemment, à travers une vitre. Tiens, toi, par exemple, je le sens depuis le début, tu as des problèmes. Tu me les raconteras quand tu voudras mais, en attendant, tu peux toujours les endormir en tétant une cigarette. C'est ce que je fais quand quelque chose me tracasse. Je me cloque un clope dans la clape, pis je fume. C'est les seules fois où on me voit sortir quelque chose de la tête. Et le remède est infaillible. C'est pas que je sois un fumeur d'habitude, ni un fumeur social. Je ne suis accro d'aucune manière. Je suis un fumeur de circonstance, le penseur qui fume. Le seul fait de t'arrêter pour téter quelques volutes, ton ciel est revenu au beau fixe. Car, pour fumer, il faut s'arrêter. Autrement, le tabac agit mal ou pas du tout. J'en vois qui courent partout avec un brûle-moustache dans les dents, ou un cigarillo entre les doigts qu'ils ont tout jaunes. Ça, c'est du vrai gaspillage. Ils perdent complètement la stimulation qu'opère le tabac sur la méditation, l'introspection, la réflexion.

— Tu devrais aller faire tes représentations en haut lieu. Tu sais qu'ils veulent interdire le fumage partout dans les lieux publics? Vraiment, tes théories apporteraient un éclairage supplémentaire au débat. »

Tout en parlant, il a choisi cinq mégots, deux un peu plus longs, trois déjà consumés jusqu'au filtre. Les autres regagnent sa poche dans un geste théâtral à force d'être à la fois naturel et précieux. Il a des grâces d'animal, ce type. Il a récupéré le tabac restant pour le rouler dans un nouveau papier, tout neuf, celui-là. C'est assez réussi comme ouvrage, bien que les bouts demeurent mal remplis. Toujours au fond de sa poche, il pêche trois boutefeux assez bizarres : un Bic mauve qu'il a dû trouver par terre, égratigné comme ce n'est pas permis, qu'il essaye de battre en vain; un use-pouce sans marque qu'il considère d'un œil perplexe avant de le remettre dans sa poche au profit d'un vieux Ronson, un objet de collection dont, à en juger par l'odeur, il doit faire le plein dans une station-service, en récupérant du bec les gouttes que négligent les automobilistes. Dès qu'il en approche la flamme, sa cigarette flambe brièvement mais intensément, et il doit enrayer le sinistre de ses doigts sales aux ongles endeuillés. Il la rallume, avec davantage de succès, cette fois.

J'ai suivi avec attention et en gardant un silence respectueux les péripéties de l'opération. Lorsque la fumée se met à monter calmement, je puis reprendre le fil de la conversation.

«Tu ne feras pas le mois, avec ta soupe et tes petits pains. J'espère au moins que tu as quelques réserves, ou encore un site d'approvisionnement insoupçonné.»

Et le voilà reparti dans son verbiage.

«Sûr, c'est juste un en cas. C'est pas à cause de ça que je vais devoir passer chez ma couturière pour faire agrandir la ceinture de mon pantalon. Mais il y a des trucs, pour se sustenter, et plus que tu penses. La planète est recouverte de choses comestibles, si tu savais. Le malheur, c'est encore les éboueurs qui le cultivent. Quand je pense qu'ils envoient à l'enfouissement dit sanitaire la plus grande part du butin! Qu'ils rêvent de tout enterrer, pour qu'il n'en reste même pas pour les goélands! Ils appellent ça la cueillette des ordures ménagères. Moi, je dis que c'est un crime de lèse nature. Y as-tu pensé? Le plus clair des protéines que la terre se donne un mal fou à produire se retrouve enfoui sous des mètres de sable où il se dégrade et se perd. Un jour, on en manquera tous. Ce sera la dysenterie universelle, l'anémie systéma-tique. Même les égouts apportent leur contri-bution à l'appauvrissement général. On envoie d'innombrables tonnes de victuailles à la mer, où il n'y a même plus de poissons pour les digérer et les réintroduire dans la chaîne alimentaire. Va nous falloir plonger un jour, devenir baleines pour récupérer les pièces de cinq cents qu'on a inconsidérément jetées du temps qu'on se croyait trop riches pour jamais être ruinés. Tiens, pas plus tard qu'hier, j'ai lu un article dans le journal. Paraît que, lorsque tu promènes ton chien, la nouvelle bienséance, c'est de ramasser les crottes qu'il sème sur les gazons. Est-ce assez fort? Non seulement tu ne veux plus déféquer sur ton jardin, par snobisme, pour faire pousser les carottes; tu refuses même aux animaux le droit de s'adonner au respect du sol arable et de lui rendre ce qu'ils en ont reçu. Il faut faire disparaître toute trace de vie, ces saletés insupportables, dès qu'on en aperçoit une, fût-ce à l'arrière-train d'une malheureuse bête...»

Depuis un moment, je n'écoute plus. Qui c'est que je viens de voir s'encadrer dans la porte? Qui c'est que je vois entrer et se présenter à la caisse pour attirer l'attention de Bastos? Rien de moins qu'un homme corpulent, vêtu d'une veste carreautée. Il vous est sans doute facile d'imaginer, malgré vos limites évidentes, que je réagis à cette vision. Je ne connais pas l'olibrius, mais il me rappelle une silhouette trop rapidement détaillée sur la route du Paddock, il n'y a pas plus de deux heures. Celui-là, c'est un gros bonhomme. Je mettrais ma main au feu qu'il s'agit de l'un de ceux qui m'ont tiré dessus ci-devant par derrière. La coïncidence est tout de même trop forte.

D'où je suis, je le vois de profil. Ce n'est pas qu'il soit si grand. Plutôt de taille moyenne. Mais c'est un costaud au torse développé, encore que souligné par un ventre qui fait résolument saillie. Il a délaissé sa casquette, si tant est qu'il s'agisse d'un de mes agresseurs. Aux pieds, il porte des bottes de chantier absolument énormes, extravagantes, dont je soupçonne le bout d'être renforcé d'acier; de pareils récipients, il suffirait qu'il coule du plomb dedans pour être assuré de rester debout en toutes circonstances; ça lui ferait tout un lest. Il a le profil aquilin, avec un nez crochu et des arcades sourci-lières proéminentes. Comme il a entamé la discus-sion avec le caissier, je mets un terme à l'envolée oratoire de Strauss, du geste et de la voix.

« Arrête un peu ton moulin, l'ami. J'ai besoin d'écouter ce qui se dit là-bas. »

Il obtempère, ce qui me permet de suivre la conversation, de plus en plus animée, qui a lieu près de la porte d'entrée.

« Il n'est pas ici, je vous l'assure. C'est Bastos qui parle. Il n'est pas entré ce matin. Semble-t-il qu'il a appelé le patron hier soir pour se désen-gager. C'est quelqu'un d'autre qui s'est chargé de la livraison aujourd'hui.

— Alors, donne-moé son adresse et son téléphone.

— Renseignements nominatifs à caractère privé. Impossible. Nous n'avons pas le droit de donner ces informations-là. La loi...

— Lœaisse fœairre la loi. T'as jusse à moe fœairre confiance, j'irai poas rrraconter çoa! »

Il a un accent montréalais à couper au cou-teau, avec des roulades extrêmes, des voyelles hyper-ouvertes, certaines semi diphtonguées qui donnent l'impression de traîner en longueur.

« Impossible. Il n'y a que le livreur lui-même qui pourrait vous renseigner sur ses coordonnées. Revenez demain, peut-être qu'il sera là.

— Ça ne peut pas attendre, c'est urgent. Et j'ai justement assez patienté. Fais ce que je te dis, et plus vite que ça. »

Il a frappé du poing sur le comptoir, et il parle fort, de sorte que nous n'avons aucune peine à suivre l'échange. Strauss lui-même écoute attentivement, l'œil tout à coup fixé sur un point quelconque du mur.

« Je ne peux pas, je vous le répète. C'est une règle absolue. Je mettrais mon travail en jeu.

— Tu peux toujours me dire ton nom à toi, petite merde, que je me souvienne à qui j'ai affaire, en plus d'avoir ton portrait. Imagine-toi que j'ai le bras long. Je vais en toucher mot à tes patrons, de ton refus de collaborer. »

Bastos a une hésitation. Quelques secondes. Le personnage est de plus en plus menaçant. À l'œil nu, on peut voir que de lui fournir ses latitude et longitude n'enchante pas le caissier de remplacement. Mais l'orgueil, vous savez ce que c'est, n'est-ce pas! Je vous en ai parlé quelques pages auparavant. Il décide de crâner. Surtout que l'intrus a parlé de ses patrons, ce qui tendrait à signifier qu'il ne connaît pas la propriétaire.

« Moi, mon nom, c'est pas un secret d'État. Mais vous feriez mieux de prendre des notes si vous voulez vous en souvenir encore demain. Je m'appelle Sébastien-Alexandre Dessureault-Saint-Hilaire-Bellemarre-Martineau! »

Depuis un moment, j'avais raison de craindre le pire. Et nous y voilà. Il ne pourrait pas l'amputer un peu, son doux patronyme, Bastos? Trouver quelques abréviations dans toutes celles disponibles? Je crois qu'il se fait une gloire de décliner sa généalogie et de rappeler sans fin la bêtise de ses ancêtres. Bien entendu, le visiteur malencontreux change de couleur. Je le vois d'ici crisper les poings, durcir les traits. Il va y avoir de la casse, c'est sûr. Je me prépare à intervenir, sans trop chercher à attirer l'attention. L'homme au bedon saillant rugit.

«T'es un beau drôle, toi! Tu me prends pour une citrouille de l'Halloween! J't'ai pas demandé de me réciter l'annuaire téléphonique. J'vas un peu t'expliquer dans le creux de l'oreille quelque chose que t'as pas bien compris. Ça s'appelle la politesse. Ça s'appelle aussi le respect[18]!»

Ce disant, il contourne le comptoir à grands pas et fonce sur Bastos.

Mon collègue, bien qu'il soit à classer au rayon des doux, il tient tout de même une forme

---

18. Oui, j'avoue et j'en rougis, je n'ai pas rendu sa réplique, au gros, avec une rigoureuse exactitude, avec toute la consciencieuse précision qu'exigent les lois modernes, celles de la téléréalité. Oui, c'est vrai, il y manque quelques «tabarnak à trois étages», «câlisse à anses de bois» et autres grossièretés de même nature. J'ai cru que le lecteur était très capable de les placer au bon endroit et de s'en faire une juste idée. Ai-je encore péché par excès de confiance? Vous le voyez, pourtant, le ton relevé de ma prose cohabiterait difficilement avec des jurons trop épicés.

athlétique. Mince, mais musclé, il s'arrange pour maintenir le tonus, notamment en fréquentant le gymnase trois fois par semaine pour ce qu'il appelle ses séances d'entraînement, mais je ne sais toujours pas en vue de quelles olympiades.

Il se met en garde pour recevoir son agresseur, mais il ne fait malheureusement pas le poids. C'est un bulldozer, qu'il a devant lui, ou un camion de chantier modèle hors route. Une fois lancé, pas moyen d'arrêter ce bison.

Sans même sentir l'obstacle, celui-ci pousse le caissier jusqu'au mur et l'y plaque durement, avant de prendre un peu de recul et de lancer son poing droit dans un moulinet redoutable. Au passage, il accroche l'écran de l'ordinateur qui s'écrase par terre avec une implosion sèche. On entend un flop! suivi du bruit de la pluie battante, indice du verre en miette qui retombe. Ils vont casser tout ce qui casse, ces abrutis! Va-t-il nous falloir acheter des lampes cathodiques en verre trempé et broché, maintenant!

Le coup de massue a été dévié par l'ordinateur, de sorte que Bastos n'en reçoit que la moitié, sur sa pommette droite. Mais l'autre ne perd pas de temps. Il lance le pied et sa botte géante va percuter à tombeau ouvert le service trois pièces du pauvre gars, celui qui pourrait lui servir à transmettre son code génétique si les dames l'inspiraient davantage. Il fait han! en expulsant le double de l'air que contiennent ses poumons et il se plie en deux en faisant des efforts pour vomir. Il a son compte. J'ai comme avis qu'il va différer quelque temps d'exposer à ma vue ses attributs cyanosés.

J'arrive justement en courant. J'ai pas l'étoffe d'un batailleur de rue, c'est certain, et j'ai toujours réussi à éviter les conflits dégénérescents. Mais les circonstances ne me laissent pas le choix et je fais de mon mieux. J'ai un peu pratiqué le karaté, jadis, sans conviction particulière, pour le conditionnement physique surtout. Ça ne fait pas de moi un adversaire très féroce, mais je puis tout de même essayer quelques trucs.

J'attrape l'intrus par le bras au moment où il va proposer un deuxième service à Bastos. Je le fais tourner en profitant du déséquilibre temporaire que son geste lui impose et je tâche de lui ajuster à mon tour un coup de pied dans le complexe génital, histoire de simplifier la tâche à la justice immanente en vengeant mon copain. Mais il m'a vu venir et il évite le pire. Un coup de pied, je sais faire ça, mon prof me l'a appris : lever d'abord le genou à quatre-vingt-dix degrés, pour bien fouetter du pied. Mais je n'attrape que sa cuisse, tout de même assez violemment pour le faire grimacer.

Cette expression est fugace, elle n'a que le temps de passer sur ses traits où elle est immédiatement remplacée par celle de la fureur, laquelle se trouve maintenant concentrée sur mon humble personne. Je n'en réchapperai pas, c'est certain. Je recule, mais il avance. Son poing, le même qui vient d'envoyer l'écran *ad patres*, fait des tout petits ronds comme dans la chanson. De toute évidence, il me le destine.

Le Ciel a certainement compris ma prière muette, puisque j'entends derrière moi un glissement feutré. Au même moment, le regard du méchant se trouble, il fixe quelque chose qui se passe dans mon dos. Je m'empresse de faire deux pas de côté, d'où j'ai droit à un spectacle inespéré.

Des coups indistincts soulignés de reflets métalliques se mettent à pleuvoir sur la tête, les bras, le cou du sieur Lourdes-Bottes[19], et il est débordé, sans réaction significative. Il tente bien à quelques reprises de saisir l'arme qui le harcèle, mais elle n'est jamais là où il s'attend à la rencontrer. Le voilà qui recule vers la porte, poursuivi par quelqu'un qui n'en a pas fini avec lui.

Strauss! Encore. Il a saisi le boyau de l'aspirateur qui, comme on le sait, se termine par un bon mètre de tuyau rigide en métal. Il a enlevé la brosse et, tenant à deux mains son arme improvisée, il frappe avec ardeur, à une vitesse étonnante. Pas des coups à casser un bras, des touches rapides et imprévisibles qui affolent le colosse.

« T'es meilleur avec les enfants. Dépêche-toi de retourner rôder autour des garderies. »

C'est la voix cassée du clochard qui commente, en imitant de manière sarcastique l'accent lourd de son opposant.

Le gars recule toujours. Encore un pas et il va

---

19. C'est pas drôle de toujours chercher des synonymes, d'éviter les répétitions; en baptisant mon homme, je règle une partie du problème.

pouvoir se mettre à l'abri de la porte. Et Strauss va manquer de boyau, il est presque à la périphérie de son rayon d'autonomie.

«Attention, c'est le moment! Tu vas être marqué au fer rond.»

En même temps, avec une force et une précision qu'on n'eût jamais pu soupçonner chez lui, mon ami plante l'embout coupant du tuyau en plein milieu du front du gros. Quand il le retire, alors que l'homme titube un peu, abasourdi, là où il a frappé, un beau cercle, bien rond et bien dessiné, commence à rougir et à s'emperler de gouttelettes de sang. Une vision fugitive. Lourdes-Bottes s'enfuit au pas de course, en repoussant sans ménagement les deux portes à ressort consécutives qui claquent l'une après l'autre au bout de leur amortisseur.

Je sors enfin de ma transe observatrice et je me précipite à sa suite, avec de longues secondes de retard.

Du trottoir, j'ai juste le temps de voir sur ma gauche une grosse voiture bleu nuit, sans doute une Jaguar, qui s'engage dans la voie de circulation, déserte à cette heure. Elle passe devant moi dans une accélération rugissante en longeant la rangée de véhicules stationnés qui me cachent sa plaque minéralogique. Les vitres latérales teintées ne permettent pas de reconnaître les occupants, mais j'ai cru en voir deux à travers le pare-brise. En m'avançant, je n'ai que le temps de lire les trois premières lettres du code d'immatriculation: SMV. Pour les trois chiffres qui suivent, il est trop tard, la bagnole est déjà loin. De toute manière, à part la police que j'ai promis de ne pas contacter, qui pourrait me renseigner sur l'identité du proprié-taire? Y a-t-il une banque de données accessible par Internet pour obtenir ces informations-là? Jamais entendu parler.

Derrière la caisse, Bastos reprend peu à peu son souffle et sa stature verticale. Il nous assure que ça va aller, mais son teint contredit ses préten-tions. S'il passait devant un mur vert, on perdrait son visage de vue pour ne plus avoir devant soi que son uniforme curieusement animé, comme dans les films inspirés par H.-G. Wells.

Je reste avec lui, je le surveillerai de près, tout en faisant le ménage pendant qu'il récupère. Au besoin, je le conduirai à l'urgence. Le coup de sabot qu'il a attrapé, j'en suis le témoin oculaire, c'était pas une feinte comme à la lutte Grand Prix, c'était de l'authentique. Mesurable à l'échelle de Mercalli. Un télescopage à te dis-perser les couilles aux quatre vents.

Strauss revient du fond des loges où il est allé récupérer son chapeau, toutes affaires cessantes. Il me fait un petit signe de la main.

«À un de ces jours! Merci pour la soupe et pour la compagnie. Ça m'a permis de me dégourdir à la fois la glotte, les cordes vocales et les quadriceps.

— Hé! Te sauve pas comme ça. T'es une vraie énigme, toi. Si je ne l'avais pas vu, je n'aurais jamais cru que tu savais te battre!

— Pas le temps de m'étendre sur le sujet. Mon emploi du temps, tu le sais, il est chargé. Sache seulement que, au temps très jadis, j'ai été expert d'escrime, et même professeur dans la discipline. Mais je ne parle jamais du passé, c'est une autre vie à laquelle je ne peux plus penser sans que me reviennent les anciennes tranchées d'un accouchement difficile. Salut!

— Hé! C'est pas tout encore. Tu mérites bien une fleur pour m'avoir tiré de cette chausse-trappe. Derrière le restaurant, y a la voiture de livraison sous un abri de toile. Elle est crevée de partout et n'a plus guère de secrets. À la place du siège passager, dans le réchaud très refroidi, tu trouveras un demi-poulet rassis et des frites du midi. C'est à toi. »

Il fait un signe de tête pour signifier qu'il a compris. Il exécute un nouveau pas vers la porte.

« Pas si vite, Strauss! Tu as gagné aussi de boire un bon coup. Passe à la SAQ[20] te chercher un quatre litres de ton vin inqualifiable. Pour boire à ma santé, plus précaire que jamais, et refaire le plein d'antigel. Après l'hiver, comme ça, ton niveau doit être bas. »

Je lui mets dans la main deux vrais billets de vingt dollars qu'il fait disparaître prestement dans sa poche de veston, là où il entrepose également ses mégots pas encore recyclés. Et il se retire aussi dignement que le prince consort des appartements privés de la reine, en se grattant les bourses de satisfaction.

---

20. Société des alcools du Québec.

Chapitre 6

Octet

«'Jour, messieurs, dames!»

Je sursaute violemment. Je deviens nerveux, ma parole, avec toutes ces aventures qui se bousculent.

On dirait que la visite s'est donné le mot pour toute nous tomber dessus aujourd'hui. Cette fois, c'est notre fournisseur de services informatiques, Michaël Octeau, qui occupe la carpette de l'entrée, sa valise à la main. Évidemment, nous l'appelons familièrement Octet. Il n'y a pas de quoi s'en vanter, c'était facile, inévitable même.

«Vous autres, vous avez l'air drôle. On dirait que vous venez de voir Belzébuth. Au risque de vous décevoir, ce n'est que moi.»

Il regarde plus attentivement Bastos, assis sur la banquette de la première loge.

«Et toi, tu ne sembles pas en pleine forme. Tu dois mal dormir. Un nouvel amant, peut-être? Ça, c'est dur! Les nuits sont trop courtes et les journées trop longues. Mais console-toi, le vide affectif est encore pire.»

L'interpellé en mène plutôt étroit[21], avec le masque de douleur qui crispe toujours ses traits, comme ceux d'Oreste dans la pièce du même nom jouée à la grecque. Heureusement, ses couleurs reviennent et cela me rassure. Il en sera quitte pour donner quelques nuits de répit à ses flammes du moment, contredisant ainsi radicalement les avancées d'Octet. Comme il demeure silencieux, je prends la liberté de répondre.

«Y a un gros méchant loup qui a voulu l'assimiler au Petit Chaperon rouge. En dépit des apparences, son état est sur la voie de l'amélioration. Mais toi, Octet, as-tu vu depuis ta place d'affaires qu'un de nos moniteurs est hors d'usage, pour te précipiter ici comme ça? Il n'y a pas dix minutes que l'accident est arrivé. On ne rigole pas avec le service, dans ta firme.

— J'ai pas la moindre idée de ce que tu racontes et j'ai rien vu de mon bureau. Par contre, la patronne vient de m'appeler. Elle souhaite que je programme quelques améliorations au logiciel de gestion.

— Je vois, je vois...»

Je souris en coin, l'œil narquois, à l'intention du copain informaticien. Je vois, en effet, et je veux qu'il voie que je vois. C'est sûrement par hasard que Marilou s'est souvenu tout à coup, depuis les littoraux mexicains, d'un bug informatique qui lui était complètement sorti de la tête.

Je commence à me faire une idée quant aux

---

21. Facile à suivre, mais douteux. L'auteur a cru pertinent d'améliorer, en lui donnant la forme positive, l'expression «ne pas en mener large». (Un spécialiste des éditions critiques)

motifs de sa discrétion à propos des assassins qui nous poursuivent. Il y a sûrement quelques petites transactions comptables qui n'affectent pas les états financiers du Crotale Sonné. Pas grand-chose, à coup sûr. Tous nos salaires et pourboires sont intouchables, les feuillets d'impôt seraient vite contestés par les employés. Et il faut bien qu'il y ait des revenus officiels correspondants. Pour ce que je connais des fournisseurs, ils facturent avec taxes. Il n'y a donc pas beaucoup de marge de manœuvre là non plus.

Si peu qu'il y ait, au fond, je comprends Marilou dans ses excès de prudence. Ce n'est jamais une bonne idée d'attirer l'attention des agents du fisc. Avec eux, tu es coupable *a priori*. Si, en plus, ils trouvent la moindre matière à nourrir leur suspicion, ils se mettent à soup-çonner tous et tout. Et c'est la grande vérification qui remonte jusqu'à cinq années en arrière, ils te font perdre des semaines de ton temps à exiger des justifications et, au bout de la course, tu te retrouves avec un avis de cotisation dix fois plus élevé que celui que tu mérites. Le bénéfice du doute, il ne joue qu'en leur faveur.

Je ne vais pas juger ma patronne. Il m'est aisé de déduire pourtant que le système informatique est complice de ses petits délits. Il n'y a pas longtemps, certains commerces se sont fait taper les doigts pour des pratiques semblables. Le journal en a fait sa une.

Comme le serveur central se trouve dans le

bureau, j'y installe Octet, lequel prélève quelques CD dans sa malle et se met aussitôt au travail.

Je n'ai plus de temps à perdre, l'heure avance trop vite. Je remonte ventre à terre. Il me faut passer l'aspirateur, à la suite de quoi je dois effectuer une série de téléphones, régler une tonne de détails avant le repas du soir. Et je dois aussi rassembler quelques informations avant la cohue. J'ai bien l'intention de mener ma petite enquête. Bastos est retourné à la caisse, bien qu'il marche écarté. Il va pouvoir fermer la session du midi et ouvrir celle de fin de journée.

«Crois-tu que je devrais porter plainte?» me lance-t-il.

Je sursaute à nouveau. Je vais finir cardiaque, si ça continue. Mais en réalité, je m'attendais à ce que la question soit posée tôt ou tard. Et, spontanément, ma réponse serait positive. Mais la réticence exprimée par Marilou me retient et je n'ai plus qu'à plaider l'inverse de mon sentiment. J'y vais tout de même mollo pour ne pas éveiller les soupçons ni non plus avoir l'air d'en faire une affaire personnelle.

«Peut-être que oui, mais je ne sais pas si c'est une bonne idée. Nous n'avons pas grand indice à fournir pour permettre de retrouver l'agresseur. Et tu vas te faire questionner pendant des heures, tout comme moi, d'ailleurs. On va nous chercher des raisons d'avoir des ennemis, en inventer si nous n'en avons pas. Si ta santé reprend le dessus, il serait préférable de t'abstenir, je pense. Dans le cas contraire, il sera toujours temps d'aviser.

— Je crois que tu as raison. »

Et il se concentre à nouveau sur la cassette à balancer. Pour assurer l'intérim de l'écran mis knock-out, j'en ai récupéré un dans la section bar où il est moins indispensable pour le moment et je l'ai installé à la caisse. La patronne décidera s'il y a lieu de remplacer le matériel démoli. Elle a peut-être des assurances, aussi, qui couvriront la dépense.

Je me précipite sur l'aspirateur qui a si bien servi d'arme offensive à Strauss. Le travail machinal me permet de penser et j'en profite pour me houspiller, d'une part, et me faire une idée plus précise de la situation, d'autre part.

Primo. Bastos et moi, nous faisons vraiment une belle paire de tartes. Dans la mêlée, nous sommes aussi dégourdis que des patères. Autant y déléguer notre salopette, elle ferait aussi bien que nous. L'instinct belliqueux, ça ne s'improvise pas lorsqu'on a toujours été pacifique, il nous manque la détermination, la rage de l'emporter. J'ai connu des gars pas mal plus petits que moi qui ne craignaient pas les Goliath et qui te leur chauffaient le toupet, c'en était de toute beauté. Faut dire que plusieurs de ceux-là traînaient un dossier épais comme ça. C'est facile, d'être un doux, quand tu n'es pas certain des moyens à ta disposition. Eux, ils n'avaient peur de rien, et surtout pas qu'on leur fasse éclater le pif, première condition pour espérer remporter une bataille. Est-ce que ça s'apprend, ces choses-là? Est-ce que ça s'apprend vite? Nous avons intérêt à répondre «oui» aux deux questions si nous ne voulons pas finir au champ de déshonneur, ou encore au champ d'ail comme mon nom de famille semble m'y prédestiner.

Ma performance à moi, en particulier, n'aurait pu être pire. J'avais l'avantage de la surprise, il eût suffi que je cogne sans laisser de répit à l'adversaire. Mais non! Je me suis contenté d'hésiter, de reculer, d'avoir peur. Résultat? Je continue d'avoir peur. Lourdes-Bottes est reparti, chassé par un itinérant. Bravo! À la fête du courage et de la vaillance, je vais sûrement être décoré de la médaille transparente. Que voulez-vous! Je n'ai pas l'habitude. Et je ne connais rien de plus idiot que de marteler à bras raccourcis la noix de mes contemporains.

Mon *secundo*, c'est une question. Est-ce que les crabes dont quelqu'un a secoué le panier et qui nous ont pris en grippe vont nous oublier à partir de ce jourd'hui? Douteux! Les événements me font entrevoir du pour et du contre sans que je puisse apprécier ce qui l'emportera.

Ce n'est pas après moi qu'ils en avaient ce midi, j'en ai maintenant l'assurance, vu la nature de la quête qui motive Lourdes-Bottes. Il veut le livreur, il l'a assez clairement laissé entendre. En conséquence, je ne l'intéresse pas, ni non plus le restaurant, sans doute. Sauf que, en canardant la voiture de livraison, les guérilleros se sont compromis. Leur délégué en a remis en perdant les pédales au point de se jeter dans un corps à corps avec le personnel du resto. Pas très futé, le

Yogi l'ours. Aussi délicat que ses cothurnes de yéti. Mais il n'a pas l'air du genre à laisser des témoins gênants derrière lui, sans compter que son humeur n'a pas dû s'améliorer du fait de l'anneau dont Strauss lui a stigmatisé le front. Il ne nous a certainement pas oubliés. Il se pourrait bien que nous dussions tôt ou tard mettre en œuvre des moyens encore à inventorier pour nous débarrasser de lui. Pour neutraliser aussi ses cérémoniaires et thuriféraires, car il n'est pas seul, Lourdes-Bottes.

Arrivé à ce point de ma réflexion, je ne puis me défaire de l'idée fixe qu'il va falloir que la sûreté s'en mêle tôt ou tard, peu importe ce qu'en pense Marilou. Je ne vais tout de même pas éliminer les truands de mes mains et les enterrer dans un boisé. Ça non plus, je ne l'ai pas appris. Et ce ne serait pas trop mon genre.

Sous la rubrique *tertio*, je mets tous les points d'interrogation qui caractérisent la genèse de cette sombre affaire. Et il y en a, de ces petits crochets typographiques. Plutôt que d'inspirer une réponse, chaque question en amène dix autres qui à leur tour se multiplient en faisant fi de toute contraception. Ça devient une infection de questions. Je me rappelle un certain prof de biologie, lorsqu'il nous expliquait la reproduction des virus, des bactéries, des levures, et la progression exponentielle de la colonie. Tu te retrouvais bientôt avec des chiffres si mahousses que tu ne pouvais même plus les imaginer. Il fallait les représenter à l'aide d'exposants.

Je caresse tout de même quelques hypo-thèses, dont la plus plausible semble la suivante : en faisant sa livraison, Stéphane a été témoin sans l'avoir voulu d'une chose qu'il n'aurait pas dû voir, du moins de l'avis de certains. Cela s'est nécessai-rement produit hier, au hasard de son circuit. Bastos me l'a confirmé, au cours de sa discussion avec lui, Lourdes-Bottes n'a jamais mentionné le nom de Stéphane. Il a parlé du livreur. Ce n'est pas une garantie absolue, mais cette omission tend à me laisser imaginer qu'il ne connaît sa proie que de vue.

Mais qu'a-t-il découvert, Stéphane? La boule de cristal de mon intelligence, que je situe humble-ment dans le dernier tiers de la courbe de Gauss, ne m'est d'aucune utilité à cet égard. Peut-être une affaire de drogue, une serre hydroponique pleine de plants de marihuana, des équipements de pro-duction de crack. Un meurtre a-t-il été commis sous ses yeux? S'est-il retrouvé face à face avec un alambic industriel ou du matériel clinique destiné au trafic d'organes? Je renonce à chercher l'aiguille. Même si je la trouvais dans la botte de foin des possibilités, je ne saurais même pas que c'est elle.

Octet réapparaît au-dessus de l'escalier au moment où j'en termine avec l'aspirateur.

« C'est fait, Pinson. Je te laisse ma carte pour le cas où il y aurait encore des bugs. Tu as aussi mon numéro privé. S'il y a un problème, tu n'hésites pas. Vous constaterez quelques changements dans les menus tactiles des commandes. Rien pour perdre les serveurs, mais avertis-les tout de même, qu'ils restent attentifs à ne pas apporter trois pizzas à qui veut une entrée d'ailes de poulet.

— À très bientôt!» lui dis-je avec un clin d'œil, voulant lui faire par là un nouveau signe que je ne suis pas dupe.

L'informaticien demeure sans réaction à mes mimiques. Il ne va pas vendre la mèche au premier venu! Ses petits tours de prestidigitateur ne fonctionneraient pas longtemps s'il les laissait s'éventer en quittant un seul instant son attitude de sphinx.

Il m'est avis qu'on va le revoir sous peu, l'Octet, c'est-à-dire dès que l'alerte sera passée.

Chapitre 7

Stéphane

247-A, ruelle Chaumont. Je m'y pointe à dix-huit heures pile. C'est là qu'habite Stéphane Gauthier selon les informations que je me suis procurées au Crotale Sonné, à même les dossiers de l'entreprise. À tout hasard, j'ai donné un coup de fil avant de m'y amener; bien entendu, je n'ai pas eu de réponse. Comme je n'en attendais pas, ma déception n'a pas été trop éprouvante. Seul un répondeur a daigné me gratifier de sa conversation à sens unique, en débitant imperturbablement son message de bienvenue. J'ai raccroché juste avant le signal sonore annoncé par la voix mécanique de Stéphane, visiblement pas très à l'aise comme lecteur de la Dictée des Amériques.

La ruelle Chaumont débouche sur le flanc droit, en plein milieu de la côte fort longue et escarpée que gravit le chemin des Autochtones dans le secteur Ouest de la ville. Dès l'entrée, un panneau de signalisation indique qu'il s'agit d'un cul-de-sac. Elle est parfaitement étale mais, de chaque côté, la déclivité se manifeste, faisant en sorte que les habitations situées à gauche sont beaucoup plus haute que celles de droite; cette disposition en gradins n'est pas sans avantages :

elle permet à tous de jouir d'un paysage exceptionnel, tout grand ouvert sur la rivière Saguenay qui se résout graduellement en fjord à cet endroit de son parcours.

Les constructions sont anciennes et sans coquetterie. Elles ont connu des jours meilleurs, à une époque où les familles étaient nombreuses et occupaient les maisons de dimensions considérables aménagées sur deux étages, qui ont depuis été converties en multiples appartements. Le 247 se trouve à gauche de la ruelle.

Il s'agit d'un cube en blocs de béton gris comportant quatre corps de logement, un au rez-de-chaussée, trois à l'étage identifiés par les lettres A, B et C dont les portes donnent sur une galerie extérieure qui fait toute la façade et se poursuit sur le côté droit sans qu'il me soit possible de savoir jusqu'où de mon poste d'observation actuel. On accède à ces derniers appartements par un escalier en deux sections qui font un angle de cent quatre-vingt degrés, où je m'engage d'un bon pas sans chercher toutefois à trop attirer l'attention par des bruits inconsidérés. Je ne tiens pas particulièrement à ce que ma présence en ces lieux fasse la une du journal de demain. Ma démarche est officieuse et je préfère qu'elle le demeure, au cas où le collègue Stéphane serait mouillé jusqu'aux oreilles dans une histoire pas nette, comme certains indices pourraient me le laisser croire.

Tantôt, j'ai questionné le livreur de soir pour apprendre qu'il a trouvé hier la voiture devant le restaurant, les clés sur le contact et non pas à la caisse comme le voudrait la consigne. La voiture était propre : Stéphane est certainement passé chez le fournisseur du resto à ce chapitre, avant de terminer son quart de travail. À ce temps-ci de l'année, pas moyen d'y couper ; il y a des flaques partout, que l'interminable fonte des neiges approvisionne sans arrêt en eau boueuse ; une journée de déplacements sans lavage et la bagnole devient méconnaissable, elle projette de la maison une image de négligé qui ne saurait être tolérée. Mais le livreur a différé, s'il en a obtenu un, de remettre à la caisse le document attestant du service obtenu...

... Comme il a négligé de poinçonner. Impossible de savoir à quelle heure précise il a quitté. Normalement, il termine à quinze heures. Diane était à la caisse à ce moment-là, elle y était assignée jusqu'à dix-sept heures. Peut-être qu'elle a vu Stéphane, mais j'en doute et je n'ai pas pu le vérifier avec elle. Tout indique au contraire que le copain s'est évaporé en panique, sans préalablement parler à personne, au mépris de toutes les procédures établies. Comme s'il avait le feu aux fesses.

Lorsque je repense à tout ce qui est arrivé aujourd'hui, je ne puis m'empêcher de lui donner raison. Il valait mieux qu'il se déguise en fantôme avant d'en devenir un pour vrai. Si Lourdes-Bottes l'avait rencontré ce tantôt, je doute qu'il s'en fût sorti sans d'importants dommages à son enveloppe corporelle.

Tout cela me conforte dans l'hypothèse que je privilégie : Stéphane, il a été témoin de quelque chose de pas ordinaire. Et il est certainement préférable qu'il mime les courants d'air en attendant le prochain dégagement et des conditions météorologiques plus favorables à sa vie publique. Mieux vaut ne pas avoir de cul sur place si c'est pour qu'il serve de cible aux ruades d'un canasson fraîchement ferré des quatre pattes.

En haut de l'escalier, rien à signaler, RAS comme disent les militaires. La lumière chiche du jour déclinant rend mes allées et venues discrètes. L'air glacial de la nuit reprend possession de la ville après la très provisoire victoire du soleil printanier que les jours encore trop courts empêchent de s'imposer durablement.

Dans la rue, c'est le calme total. Le quartier n'est pas riche, si j'en juge par l'état des propriétés. Je m'étonne surtout de ne pas voir d'enfants ni d'adolescents, de ne pas entendre leurs éclats de voix si caractéristiques de la vie des communautés urbaines. Sont-ils tous à leurs devoirs, ou bien scotchés à leurs jeux vidéo? Mon sentiment, c'est plutôt que les jeunes sont à peu près absents du coin, habité surtout par des célibataires de carrière et des personnes âgées d'habitude.

J'entends, assourdi, le son d'un téléviseur lancé à plein régime, sans doute en provenance de l'appartement 247-C. Je vois d'ailleurs à l'étroite fenêtre qui en jouxte la porte les variations de l'éclairage projeté par le poste. C'est là la seule lumière visible sur le palier. Les deux autres logements sont dans le noir relatif de l'éclairage de rue jaunasse, et notamment celui qui m'intéresse, le 247-A, lequel est le plus près de l'escalier que je viens d'escalader. Il fait le coin droit de l'édifice.

Je sonde la porte. Elle proteste passivement en ne s'ouvrant pas. Pour ce que je puis en voir, sa serrure est infiniment plus récente que le bâti qui la supporte. Pour la crocheter, il me faudrait un éclairage plus adéquat et les outils idoines. Mieux vaut y renoncer. Je décide plutôt de considérer les fenêtres. Deux donnent sur l'appartement et sont accessibles depuis le palier : l'une située sur la devanture, l'autre sur la section de galerie qui s'avance sur le côté droit. Ce sont des guillotines vénérables, aussi âgées que la maison et qui donnent une impression de fragilité.

Quand tu forces une fenêtre ou que tu t'y intéresses de trop près, t'as pas l'air honnête. Comme je tiens tout de même à ma réputation malgré mes erreurs de jeunesse, je choisis la fenêtre du côté, où l'ombre est suffisamment opaque pour dérober mon effraction au reste du monde.

Je n'ai pas à tâtonner longtemps pour trouver le talon d'Achille du mécanisme vieillot : la guillotine n'est pas verrouillée de l'intérieur et je n'ai qu'à la remonter, avec quelques précautions d'abord, histoire de ne pas me pincer les doigts, puis sans plus de façons. J'ai l'impression que Stéphane utilise cet accès à l'occasion, lorsqu'il oublie ses clés quelque part, ce qui ne peut manquer de survenir compte tenu de sa propension à multiplier les étourderies. Quant à son appartement, sans doute ne le considère-t-il pas digne, de par son contenu et son luxe, d'être protégé par un blindage inexpugnable.

Dès que j'ouvre, un violent parfum de tabac refroidi agresse mes facultés olfactives. En enjambant un vieux calorifère de fonte, je débarque dans une chambre à coucher qui me semble, dans la pénombre épaisse, assez bordélique, merci!

Une lampe de chevet toute proche m'invite. L'ayant actionnée, je mesure davantage l'étendue du désastre. Non seulement le lit n'est pas fait, il donne l'impression de ne pas l'avoir été au cours des deux derniers mois d'utilisation par son propriétaire. Si jamais Stéphane y convie une copine, vaut mieux qu'il la choisisse obèse, autrement il risque de ne pas la retrouver au petit matin pour une dernière prestation. Il y a du linge partout, sur le lit lui-même, sur une chaise capitaine que l'encombrement rend parfaitement impropre à remplir sa fonction première, sur une commode de modeste dimension, ainsi que sur le sol où, pour se déplacer, il faut fouler des tas de fringues fripées et probablement pas très propres. Il ne doit pas rester beaucoup de choses du trousseau de l'occupant dans les endroits destinés au rangement, d'après la quantité qui en émarge. Pour faire le ménage là-dedans, il faudrait une pépine[22]. En plus, deux

---

22. Une rétrocaveuse, si vous préférez et si ce beau mot que d'aucuns jugent trop familier, mais qui est si joliment évocateur, vous empêche de savourer mon intrigue. Moi, je suis généreux! Je vous fournis des synonymes autant que vous en voulez!

cendriers débordent littéralement de mégots, l'un sur la table de nuit, l'autre sur la commode.

Je fais une tournée rapide de l'appartement, ce qui ne me demande qu'un minimum d'énergie vu que, à part la chambre, il n'y a qu'une minuscule salle de bains où cohabitent difficilement le lavabo, la douche et le cabinet, ainsi qu'une cuisine-salle à dîner elle aussi d'une superficie extrêmement réduite. La table est appuyée au mur et flanquée de part et d'autre d'une chaise à barreaux tournés; elle fait moins de un mètre carré. Peut-on appeler cela une garçonnière? Ce serait faire beaucoup d'honneur à ce pied-à-terre miteux.

Partout, c'est le même désordre érigé en système. Il traîne des vêtements et des guenilles, la vaisselle sale s'est accumulée en une pile dont l'équilibre précaire couronne un semblant d'évier, et les cendriers posés ici et là contiennent davantage de mégots que ce qui a été prévu par leur constructeur. Dans le coin adjacent à la fenêtre, deux colonnes de caisses de bière ne font rien pour économiser le volume d'air présent dans l'appartement. Elles vont presque jusqu'au plafond, à croire qu'il les accumule pour lorsqu'il aura besoin de changer de voiture. Il y a aussi des bouteilles brunes consignées un peu partout, autant sur les meubles divers que par terre ici et là. Seule exception au capharnaüm généralisé, un fauteuil de type *lazyboy* grand luxe, recouvert de cuir brun et épargné par les objets à la traîne, semble concentré sur l'écran d'un poste de télévision éteint.

Le moins qu'on puisse dire, c'est que la propreté n'est pas une condition indispensable à son confort, à Stéphane. À première vue, il me vient à l'idée que le logement a été récemment fouillé de fond en comble et je me demande si je n'arrive pas un peu tard pour trouver quelque indice que ce soit. Mais un examen plus poussé m'indique qu'il n'en est rien. Aucun meuble n'a été vandalisé, les portes de placards et d'armoires sont fermées et les tiroirs sont à leur place, encore que plusieurs soient entrouverts de façon asymétrique. Le clan de Lourdes-Bottes n'a sans doute pas dû encore mettre la main sur les coordonnées du livreur, autrement il serait certainement sur place.

Cette pensée me rappelle que je n'ai pas intérêt, moi non plus, à rencontrer ces méchants et que je serais bien embarrassé qu'ils s'amènent et me surprennent dans mon investigation. Ce serait suffisant pour que je sois considéré comme le complice à éliminer sans délai. Il est préférable que je procède à mes recherches et que je disparaisse avant que ça se mette à chauffer vraiment pour mes plumes.

Mais j'ai un problème encore inavoué et plutôt grave : je ne sais pas ce que je cherche. Je me suis simplement dit que je pourrais peut-être trouver ici quelque indication sur la piste à suivre, pour appréhender ce qui se passe et peut-être désamorcer le piège. Y faire face, au moins, avec un minimum d'informations pertinentes. Savoir d'où ça vient et où ça va. Comprendre, quoi! Présentement, j'ai beau me raisonner, je garde le sentiment que ma peau est mise à prix, mais je n'ai aucune idée des motifs qui me valent un tel acharnement, ni, conséquemment, des motivations des chasseurs de prime. À deux reprises, déjà, j'ai eu affaire à eux et ces rencontres n'ont pas eu l'heur de me rassurer. Je ne sais rien de toute cette affaire et mon ignorance ne garantit en aucune façon ma sécurité. Autant savoir!

Je retourne à la chambre à coucher. Je suis convaincu que, s'il y a quelque chose d'intéressant à découvrir, c'est là que ça se trouve.

Je procède méthodiquement. D'abord, la commode. Quatre tiroirs qui ne contiennent que quelques vêtements oubliés parce que passés de mode et d'usage. Rien d'intéressant. Idem pour le placard. Il y pend quelques chemises d'une autre époque accrochées à des cintres, qui terminent lamentablement leur carrière en jaunissant de toutes les cigarettes dont elles filtrent la fumée malgré elles. L'ayant débarrassée, je grimpe sur la chaise pour inspecter la tablette qui surplombe la penderie. Elle est surchargée d'objets hétéroclites allant du vieux parapluie à la casquette à visière, en passant par une aquarelle barbouillée et une paire désassortie de draps troués, tout cela si empoussiéré que rien n'a certainement été déplacé au cours des cinq dernières années.

Une chose attire mon attention : une caméra Fuji dans son étui fermé au velcro. Peut-être que c'est en pure perte, mais je m'accroche tout de même l'objet au cou par la sangle prévue à cet effet.

La table de chevet est légèrement plus bavarde, mais si peu. Un seul tiroir, que je dépose sur le lit pour un inventaire exhaustif. Il est rempli jusqu'au bord d'objets personnels en vrac, sans aucun rapport entre eux et sans ordre visible. Le plus difficile, c'est de ne rien déranger. Et je tiens à remettre le tout plus ou moins comme je l'ai trouvé, ne pas trop claironner mon introduction clandestine en ces lieux.

Le lot le plus gros est constitué de plusieurs enveloppes bleu pâle contenant chacune une lettre sur papier de même couleur, qui était sans doute parfumé jadis mais qui a perdu sa fragrance dans cet environnement hostile. Les missives sont en provenance d'une certaine Ginette et rédigées d'une belle main d'écriture; le cachet de la poste m'indique qu'elles ont été expédiées depuis une localité de la Montérégie sur la rive sud de Montréal, il y a de cela entre cinq et sept ans. Un peu mince pour identifier l'épistolière. Je ne trouve ni le nom de famille ni l'adresse.

Il y a aussi quelques autres documents, lettres ou cartes de souhaits, signées d'un seul prénom chacune, qui ne me renseignent que médiocrement quant aux relations du résidant. Là encore, aucune adresse d'expéditeur, comme si tout le monde s'était donné le mot pour ne pas s'identifier. Curieux.

La région de Montréal est toujours le lieu de mise à la poste; les plus récents envois remontent à 2000.

Exactement cinq comptes de téléphone

tranchent avec cette vétusté : ils ont trait à la période allant d'octobre à février derniers. Je vérifie la liste des interurbains sur chaque facture, pour n'y récolter qu'un seul numéro de téléphone qui revient une fois par mois plus ou moins. Je le note à tout hasard. Le code régional est le 450 : toujours dans la région de Montréal. La dame qui m'a informé de l'absence de Stéphane m'a pourtant dit qu'il devait voir sa mère à Drummondville. Si c'est le cas, il ne l'appelle pas souvent, sa génitrice, puisque, en cinq mois, il n'a pas fait un seul téléphone dans la région 819. J'ai plutôt l'impression qu'on m'a vendu une vessie en me faisant croire que c'était une lanterne. Mais il n'y a plus rien d'étonnant dans cette histoire. Faites comme moi, lecteurs, accoutumez-vous.

Une fois tous ces papiers enlevés, je reste avec un fond de tiroir recouvert de vieux stylos, de cartons d'allumettes, de boutons désassortis, de cinq ou six épingles et de quelques cartes qui pourraient agir comme pièces d'identité si elles n'avaient pas le tort d'avoir dépassé leur date de péremption.

Une carte-soleil[23] se propose à moi, ainsi qu'un permis de conduire. Pourquoi tiqué-je ? Parce que ces documents comportent une photographie du détenteur. Les deux ont rencontré leur échéance en octobre 2003, soit cinq ans après leur émission qui a forcément eu lieu en 1998. Si

---

23. Carte de la Régie de l'assurance maladie du Québec.

je vous dis tout ça, ce n'est pas parce que je vous crois incapables d'exécuter laborieusement ce calcul mental; c'est pour vous éviter de griller un fusible en sollicitant trop votre matière grise. Et les photos, vous dites? Vous avez hâte de savoir? Eh bien, rien! Rien du tout! Stéphane en plus jeune, tout simplement. Je remarque au passage qu'il est né le vingt-six août de l'an de grâce 1960. «Vierge!» dirait ma sorcière de Junie. «Pauvre gars!» que je lui répliquerais du tac au tac. Il aura quarante-cinq ans dans quelques mois et je dois admettre qu'il les fait largement. Vierge à cet âge, c'est à désespérer du Zodiaque moqueur.

Il ne me reste plus qu'à remettre le tout en place. Mais j'avise une autre carte-soleil, sans photo celle-là, donc antérieure à celle que j'ai consultée déjà et qui doit remonter au temps où le portrait du futur patient n'avait pas à y apparaître. Il les collectionne, le collègue. Il croit qu'elles vont prendre de la valeur avec le temps, je suppose. Si c'est le cas, j'espère qu'il capitalise pour ses arrière-arrière-petits-enfants. Donc, disais-je, cette carte doit forcément être plus ancienne que l'autre. Un coup d'œil en effet m'informe qu'elle est périmée depuis août 1999.

Houp! Vous l'avez vu comme moi? Il y a une incohérence. Stéphane aurait-il possédé deux cartes-soleil en même temps? Ce constat à peine fait, je tombe sur le nom inscrit au document: Étienne Samuel. C'est plus normal comme ça, mais pourquoi conserve-t-il la carte d'un autre dans ses affaires? En souvenir d'un ami disparu?

Mais il y a plus troublant. L'ami en question a la même date de naissance que lui! Encore une coïncidence que seul Stéphane pourrait éclaircir. Il va falloir décidément que je trouve un moyen de le rejoindre. J'ai beaucoup de questions à lui poser.

En attendant, je décide de mettre toutes ces cartes insolites dans ma poche. Je n'ai pas de raison particulière d'agir ainsi; pour tout dire, ça me met mal, comme pour la caméra. Mais il y a un diable insistant qui me pousse à transgresser la bienséance envers un collègue de travail et à lui dérober ces pièces assez banales.

Une fois engagé dans le pillage, un peu plus un peu moins, n'est-ce pas, ça ne fait pas une grande différence. Aussi, je n'ai qu'un moment d'hésitation avant de revenir aux factures de téléphone et de m'en emparer; je me dis qu'il vaut peut-être mieux ne pas laisser derrière moi les informations qu'elles contiennent.

Comme je replace le tiroir, un pas lourd ébranle l'escalier extérieur. Or, je crois que j'ai développé en un seul jour une paranoïa de type spécifique qui me fait imaginer une paire de chaussures de dimension colossale dès que j'entends quelqu'un marcher. Voyez-vous, Lourdes-Bottes, à quelques heures d'intervalle seulement, j'ai eu l'occasion de le rencontrer deux fois et la troisième me paraît non souhaitable. Pour aujourd'hui, du moins.

En catastrophe, j'éteins la lampe de chevet et je me coule sans bruit à l'extérieur, par la voie même qui a permis mon intrusion. Je nourrissais pourtant le projet de fouiller tous les vêtements dispersés dans la chambre. Il ne me reste qu'à ravaler ma déconvenue, je devrai faire avec la pauvre moisson que j'ai pu récupérer.

Sur la section de la galerie où je me retrouve, c'est tout à fait sombre, maintenant. En prêtant l'oreille, je comprends que quelqu'un est en train de sonder la porte du 247-A, ainsi que j'ai moi-même procédé tout à l'heure. Si ce quelqu'un fait les mêmes déductions, il va aboutir à la fenêtre devant laquelle je me tiens. Il vaudrait mieux que je n'y sois plus à ce moment-là, mais si je veux retrouver le haut de l'escalier je rencontrerai inévitablement l'intrus. Comme la galerie se prolonge derrière moi, c'est cette voie que je choisis. À mon arrivée, j'ai aperçu une cheminée de briques en saillie environ trois mètres plus loin. Sa masse plus sombre se devine toujours dans le noir et je m'y dirige sans délai pour me dissimuler derrière.

Vous dire que le sang bat à mes tempes, c'est peu; il fait dans mes oreilles un bruit assourdissant que j'arrive toutefois à apaiser lentement à force de volonté. Ma respiration se calme au même rythme, si bien que je me décide, depuis mon poste d'observation providentiel, à regarder un peu ce qui se passe en amont.

Le quelqu'un que j'ai entendu venir, c'est bien Lourdes-Bottes. Cette fois, je le reconnais au gros pansement blanc, presque fluorescent, qu'il arbore en plein front. On dirait l'œil du Cyclope et je me gondole en silence. Pas moyen de le manquer, l'apôtre; il risque bien de traîner sa marque de commerce partout, désormais.

Je suppose qu'il revient du Crotale Sonné où il a eu plus de chance avec l'équipe du soir et a obtenu quelques informations susceptibles de le mettre sur la piste de Stéphane. Avec son seul nom, il lui était assez facile de remonter jusqu'ici. S'il avait posé les bonnes questions, cet après-midi, le raffiné, il n'aurait pas eu besoin de se livrer à des voies de fait pour des prunes.

De le voir, il y a comme une petite lumière qui s'allume soudain, mais qui s'éteint aussitôt dans mon esprit. On dirait que j'ai passé tout près de comprendre quelque chose, mais que je n'ai pas été assez rapide. Je me promets d'y songer à nouveau plus tard et de m'imposer une séance d'introspection dès que les conditions s'y prêteront mieux.

Il se dirige comme prévu vers la fenêtre que je viens de quitter. Je crois un instant qu'il tâtonne à la recherche du moyen de l'ouvrir, mais j'entends un drôle de crissement, qui me rappelle tout de même quelque chose... Un diamant! Ou plutôt un outil servant à tailler le verre plat. Au moment où j'identifie le son me parvient un coup sourd, suivi d'un bruit de verre qui se brise en tombant. Dans sa manie de tout casser, il vient d'enfoncer une porte ouverte, c'est le cas de le dire. Et il disparaît par l'inutile ouverture ainsi pratiquée, avec les contorsions auxquelles son volume l'oblige.

C'est le moment que je choisis pour m'absenter discrètement, en me parlant tout bas en ces termes : « Mon cher Stéphane, ma visite, c'était du petit jus. J'ai bien peur que le nouvel arrivant soit moins respectueux de tes choses que je ne l'ai été. Le travail au crochet ne semble pas le passionner, mais, avec une massue, il est impeccable. J'espère que tu es assuré contre le vandalisme. »

Stationnées le long de la rue Chaumont, il y a une dizaine de voitures, toutes inoccupées pour autant que je puisse en juger. Et aucune Jaguar. Je retrouve ma VW Golf avec joie et aussi un certain sentiment de sécurité. Ton automobile, c'est un peu de ton environnement que tu promènes partout où tu vas. Quand tu y montes, c'est comme si tu gravissais les cinq marches qui donnent accès à ta maison.

Vais-je attendre le retour du tailleur de carreaux pour le suivre jusqu'à son domicile? Ce serait sans doute sage. Mais je risque d'être découvert et pris à partie. Et cela peut exiger un long temps d'attente, alors que je n'ai pas un instant à perdre. J'ai en effet planifié certaines visites pour le reste de la soirée, des visites qui devraient m'aider à découvrir ce pourquoi Stéphane est poursuivi, encore plus sûrement qu'une filature de Lourdes-Bottes, qui semble d'ailleurs avoir un chou particulier pour se manifester souvent. En une seule journée, c'est la troisième fois que je me retrouve dans ses pattes. Et ses activités louches m'intéressent bien davantage que lui-même.

Chapitre 8

Re-Junie

Il est une heure du matin lorsque je rentre chez moi. Junie est au lit depuis un bout de temps déjà et mon arrivée ne la convainc pas de venir me faire la conversation, même si, j'en suis persuadé, elle ne dort pas encore. Je la soupçonne de bouder. Lui aurait-il déplu souverainement tout à coup que je m'amène aussi tard sans avoir daigné partager le souper avec elle, sans avoir donné la moindre nouvelle non plus?

En réalité, je ne me sens pas d'attaque pour lui raconter les tribulations dont je fais les frais. Je n'allais quand même pas lui débiter tout ça au téléphone en vitesse, sans prendre le temps de la rassurer. J'ai peur de l'inquiéter pour rien. Lorsque les choses se seront tassées et si je fais toujours partie des survivants, elle aura droit à toute l'histoire. En attendant, je préfère la laisser à ses suppositions, même si celles-ci peuvent permettre au doute de s'installer provisoirement quant à mes sentiments et à l'exclusivité de mes mamours. Il importe toutefois que tout ça ne dure pas trop longtemps, qu'elle n'aille pas prendre un amant pour se consoler de mes absences non motivées.

Rapport à nos relations, voici la version officielle. Nous formons un couple très contemporain, donc libéré. Pas question d'étouffer le conjoint dans ses projets et entreprises, nous nous défendons surtout d'être possessifs. Nous laissons toute liberté à l'autre de vaquer à ses occupations, ces dernières fussent-elles apparentées au flirt *extra-muros*. Par principe, nous ne devons sous aucun prétexte brimer les élans de l'autre ni l'empêcher de se réaliser pleinement selon ses pulsions. Une seule exigence, ne pas laisser l'*alter ego* faire le pied de grue pendant qu'on butine des jardins inconnus. Chacun est contraint d'avertir, s'il n'est pas tenu de se justifier. Mais la solidité de notre couple n'est pas fondée sur la fidélité.

Et voici la version officieuse, celle dont nous ne discutons jamais, que nous n'avouerions pas pour un empire, mais qui demeure infiniment plus vraie que l'autre. Il y a des choses qui ne se partagent pas et qui, en corollaire, ne seront jamais égales à la somme de leurs parties. Ces choses-là, on ne les donne pas deux fois, et surtout pas à deux récipiendaires en même temps. Pour les remettre à un nouveau propriétaire, il faut d'abord les retirer au précédent. Ainsi en va-t-il de l'intimité amoureuse qui perd toutes ses vertus dès l'instant où on la dilue. La passion, elle comporte ses impératifs indiscutables, son exclusivité et sa jalousie. C'est vrai depuis toujours et il n'y a aucune mode qui peut changer cette réalité.

Elle n'aime pas, Junie, que les abeilles me harcèlent de trop près et elle réprime avec tact, mais non moins vigoureusement, les assiduités intempestives. Pour ma part, je suis toujours disposé à m'emparer du premier tue-mouches venu pour chasser sans merci les faux-bourdons et les frappe-à-bord qui vrombissent à ses oreilles. Il en sera ainsi aussi longtemps que nous en conviendrons, tacitement ou pas. Et, ma flamme du moment, je le sens obscurément, ce n'est pas un feu de paille; plutôt les manifestations d'une pile atomique bonne pour les cent prochaines années.

Il faut dire que son objet, il a le charme diabolique du succube[24] et il y a moult petits crooners qui lui tournent autour, irrésistiblement attirés par ses phéromones; cela crée des embouteillages mais, croyez-moi, je m'arrange pour faire la circulation.

Notre résidence est équipée d'un gadget qui ne sert pas souvent : il s'agit d'un système d'alarme ultra-sophistiqué, que seules des circonstances exceptionnelles nous convainquent d'armer. En général, c'est lorsque nous partons en voyage pour une période supérieure à une journée que nous l'utilisons. Ce truc comporte aussi une protection de nuit qui agit pendant que les occupants sont occupés à dormir. Comme je ne m'en suis jamais servi, mais que je crois pertinent d'en faire usage maintenant, je dois avoir recours au manuel d'utilisation pour l'amorcer. C'est assez simple. Tu fais d'abord le code 64, puis tu saisis sur le clavier

---

24. Est-ce assez plaisant de voir ça : un mot résolument masculin qui désigne une femme. N'allez pas dire «une succube», surtout. Vous allez perdre un demi-point pour la faute.

numérique le code secret qui est *******[25]. Facile!
Je mémorise aussi la procédure d'annulation de la
protection, afin de ne pas avoir à me perdre dans
les recherches à mon réveil, en attendant que
s'amènent une demi-douzaine d'auto-patrouilles
accompagnées de trois camions de pompiers clai-
ronnant à plein volume.

Et je me mets au lit. À la façon qu'elle tourne
et retourne, déplace un pied, remonte son oreiller,
je comprends que Junie est toujours éveillée.

«Ton rendez-vous chez le médecin? Ça a été
comment?»

Elle met un temps à répondre en ravalant
lourdement sa salive.

«Rien de spécial. On s'en reparlera. Demain.»

Sa voix est altérée. Elle pleure ou je ne m'y
connais pas. Je passe mon bras par-dessus sa
taille et la serre contre moi malgré ses protesta-
tions, en plantant mon nez dans les cheveux
duveteux de sa nuque. Elle est si petite et désar-
mante, ma Junie, et c'est sans effort que je fais
mine de la bercer doucement. Ce simple geste
déclenche le déluge. Franchement, je suis étonné
par l'outrance de sa réaction.

«Allons, allons! Qu'est-ce qu'il y a?

— Où étais-tu? qu'elle hoquette. Je t'ai attendu
toute la soirée. Tu aurais pu m'avertir.»

---

25. Vous n'alliez tout de même pas espérer que je vous livre
le code! Le montant déboursé pour ce livre ne vous donne
certainement pas autant de prérogatives. Il suffit d'un seul
lecteur peu scrupuleux pour que je sois dévalisé, non?

Je n'aime pas les scènes. Vous non plus, sans doute. Mais le moyen de contourner celle-ci, dites-moi? Je prends ma voix la plus rassurante.

« J'ai quelques ennuis. De nature professionnelle. Je ne peux t'en parler tout de suite, mais tu ne perds rien pour attendre.

— Tu n'étais même pas au restaurant! J'ai téléphoné. »

Merde! Bien sûr qu'elle m'a cherché. J'ai vraiment fait l'imbécile en ne l'appelant pas. N'importe quel prétexte m'aurait permis d'éviter tout imbroglio. Même un pieux mensonge, à la limite. N'empêche, je reste surpris de la rigueur de son attitude. Ce n'est pas la première fois que je m'absente sans prévenir. Si elle doit se mettre à le prendre mal à ce point, j'ai peur que notre air à tous deux devienne rapidement irrespirable. Cela m'attriste plus que le petit différend ponctuel qui nous occupe présentement.

« C'est vrai. Ça concerne mon job, mais ça se passe dehors. Encore cette histoire de livreur qui n'est pas rentré ce matin. C'est vrai aussi que je ne peux rien dire pour le moment. Patiente un peu, tu sauras tout. Tu ne vas pas me suspecter pour si peu.

— Je ne te suspecte pas. »

Non? Alors, c'est quoi, cette crise de larmes? J'ai l'impression qu'il y a quelque chose qui bouscule ses humeurs, à elle aussi. Je m'abstiens de commenter, attendant qu'elle décide d'elle-même de me confier ses problèmes. Mais elle se tait. Au moins, elle se console graduellement. Au bout de quelques minutes, je la sens s'enliser dans le sommeil et je relâche mon étreinte doucement. Elle travaille tôt demain et je suis content qu'elle se repose enfin.

De là à m'endormir moi-même, il y a un bout de chemin que je n'arrive pas à franchir, en dépit de la respiration régulière de Junie qui m'est une douce berceuse. Il y a trop de choses qui se bousculent dans ma tête, trop de relents de cette journée capotante[26]. Je continue de ressasser mes échecs et mes perplexités, conscient que la soirée ne m'a en aucune façon permis de faire progresser mon enquête.

Une fois quitté l'appartement de Stéphane, j'ai refait en son entier le circuit qu'il a dû suivre hier au fil de ses livraisons, grâce à la feuille que j'avais préalablement prélevée au restaurant du livre où nous consignons toutes les informations sur les commandes par téléphone. En tout, une douzaine de destinations disséminées un peu partout dans la ville. J'ai dû me procurer une carte pour dénicher toutes les résidences visitées par le chauffeur.

À chaque endroit, j'ai tâché d'obtenir des informations sur les propriétaires, identité, occupation et marque de voiture utilisée. Quelques rares

---

26. Je ne vais quand même pas m'excuser de tous ces québécismes de bon ou mauvais aloi qui corrompent mon style et donnent à penser à mes détracteurs que je ne suis bon qu'à ça. «Est bien fou du cerveau...» disait un fabuliste de mes amis, dans une de mes vies antérieures.

piétons ont été en mesure de me renseigner sur les occupants. Dans certains cas, je me suis tapé de longues périodes d'attente dans l'espoir de me faire une idée d'après les allées et venues. J'ai espionné aux fenêtres, particulièrement celles des garages, j'ai jasé avec les enfants qui passaient, j'ai tiré des conclusions aléatoires d'après les apparences. J'ai pris des pages de notes, minutieusement mais sans conviction, car, je le sens bien, tout cela n'a été qu'une perte de temps et les mobiles de mes agresseurs me demeurent toujours aussi sibyllins.

Pourtant, une impression fugitive me poursuit sans arrêt, le sentiment que j'ai été mis en contact aujourd'hui avec un indice important, lequel je n'arrive pas à décoder correctement. C'est comme un flash qui s'allume toujours sans que tu t'en attendes, et si brièvement que tu n'as pas le temps de voir d'où vient la lumière, ni ce qu'elle éclaire exactement; lorsque tu refermes les mains, tu n'attrapes que le vide. Ça m'a fait ça toute la soirée, et ça continue dans mon demi-sommeil. Mais pas moyen d'attraper la bête par la queue. Tout ce que je sais, c'est que, la première fois, ce déclic a eu lieu juste au moment où Lourdes-Bottes m'est apparu avec son pansement blanc dans le front. Même ce souvenir ne m'allume pas davantage.

Dans la caméra dérobée à Stéphane, j'ai trouvé un film complètement enroulé sur son axe, signe que les vingt-quatre sections de pellicule disponibles ont été exposées. En passant près du centre commercial, j'ai laissé la bobine. On m'a promis son développement aux premières heures demain. Bien qu'un certain découragement soit en train de remplacer ma belle énergie du début, j'ai hâte de récupérer ces documents. Ils me renseigneront peut-être davantage que toute mon agitation de la soirée. Je me promets aussi de retourner chez Stéphane, lui rendre ses affaires d'une part, et terminer ma perquisition d'autre part, même si je doute que ses poursuivants aient laissé quelque chose de significatif sur leur passage.

Curieux comme je sais peu de choses de lui, un gars que je côtoie pourtant au travail depuis plusieurs années. À part ses frasques qui ne passent que rarement inaperçues, il est plutôt *low profile*, notre livreur de jour, il est taciturne et il ne se lie pas facilement. Et je ne crois pas qu'aucun employé du Crotale Sonné puisse en dire plus à son propos que je n'en sais moi-même.

Nous tous, nous blaguons sans arrêt et tous nos échanges sont prétextes à jeux de mots, contrepets, railleries amicales et agaceries de toute nature. Nous avons développé une certaine habileté pour toujours voir le côté biscornu des choses et pour faire ressortir la moindre singularité cocasse. Nous tâchons ainsi de mettre de l'ambiance dans notre environnement de travail et de ne perdre aucune occasion de trouver la vie belle.

Mais pas Stéphane. Il ne participe pas à ces joutes verbales, il paraît même un peu désorienté par les vannes qu'on lui balance quelquefois sur notre lancée.

Ce que nous connaissons de son pedigree est

donc vraiment limité. D'origine, il est gaspésien, mais il aurait quitté sa région natale assez jeune, pour se retrouver dans le voisinage de la métropole montréalaise dont il n'a pourtant jamais acquis l'accent; il garde toujours celui du fin fond de la péninsule, à la fois coupant et chantant, et il lui arrive d'échapper des mots de sa prime jeunesse, souvent en rapport avec la mer et ses poissons.

Il est arrivé ici il y a quelques années, je ne sais plus combien exactement, et son engagement au resto date de ce moment. C'est un employé parfaitement discipliné, dévoué et rempli de zèle, qui ne sait pas quoi faire pour être apprécié par l'employeur. Depuis son embauche, je crois que c'est la première fois qu'il manque du travail.

Il traîne avec lui deux petits défauts qui n'en font pas un monstre pour autant : il fume comme une raffinerie de pétrole et il boit comme mon potager éprouvé par la sécheresse. Son premier travers ne concerne guère que lui-même, alors que son second nous a valu quelquefois des situations embarrassantes.

Ainsi, lors des rencontres sociales des employés, il lui arrive de ne pas bien contrôler son éponge et de se retrouver fin saoul en peu de temps, si bien que, avant même que les festivités n'aient commencé pour de bon, on doit l'expédier chez lui en taxi, qu'il n'aille pas perdre son permis de conduire en plus et nous priver d'un livreur de première classe. Généralement, c'est avec la bière qu'il cherche à étancher sa pépie, mais les spiritueux, lorsqu'il y en a bar ouvert, ont sa nette prédilection. Dans ces cas-là, son ébriété monte en flèche et il ne baragouine bientôt plus que des choses parfaitement incompréhensibles, semblables aux borborygmes que fait votre cabinet de toilette lorsque vous tirez la chasse sur vos déjections. Il n'a le vin ni joyeux ni triste, plutôt indifférent. C'est sa démarche qui le trahit d'abord, ainsi que son élocution peu de temps plus tard.

Et, le lendemain, il n'y paraît plus; il se ramène à l'ouvrage aussi frais que s'il n'avait jamais bu, comme s'il était équipé d'un drain agricole qui lui permettrait d'évacuer les excès. Un rare soir de confidence, il m'a raconté que son truc, c'est le ragoût de boulettes en conserve; c'est avec ça qu'il soigne sa gueule de bois et il semble qu'une seule dose suffit à le remettre sur pied, avec toutes ses couleurs en prime. Chacun sa façon, n'est-ce pas! Moi, ce n'est pas la cuite qui me tuerait, c'est l'antidote.

Toutes ces pensées me permettent de glisser lentement dans les bras de Morphée. Mais, Morphée, je crois qu'il est sur la galère, cette nuit. Et que sa sortie a lieu au cirque. Même les bras encombrés de ma personne, il n'est pas empêché de se payer un ticket pour la grande roue, les montagnes russes, l'étoile et les cuves; à un moment donné, il se laisse tenter par le bonji, de sorte que j'ai l'impression de tomber sans fin du haut d'un précipice. Il va enfin terminer sa nuit chez les putes, où je me fais secouer par ses coups de reins génésiques à répétition.

Mauvaise nuit, bon matin! L'avez-vous remarqué? Ou peut-être que je suis seul comme ça! Plus je dors mal, plus je suis en forme et d'attaque le lendemain. Avant de comprendre cela, je me faisais un sang d'encre lorsque je n'arrivais pas à dormir, et mon stress m'était une plus lourde épreuve que le manque de sommeil lui-même. Aujourd'hui que je sais, l'insomnie me laisse calme, je prends la chose avec philosophie, sachant que je n'ai besoin que de patience pour mener la nuit à son échéance et me retrouver frais et dispos.

Mais la vraie réalité, c'est que lorsqu'il s'agit de roupiller j'ai davantage de traits communs avec une souche qu'avec mon système d'alarme. Pour que les troubles du sommeil m'inquiètent, il en faut beaucoup, du style de ce qui m'est survenu hier.

À six heures du matin, donc, je pète le feu et je suis prêt à attaquer cette nouvelle journée avec tout l'optimisme nécessaire, en dépit des noirs nuages que je détecte à mon horizon.

Chapitre 9

Bastos

Voyez-vous, il est issu d'une lignée de professionnels. Chacun sait que ces gens-là ont un sens aigu de l'égalité et que, pour y parvenir, ils ne regardent pas à la dépense. Lorsque l'opinion publique a entrepris au début des années 1960 de discuter la tradition voulant que l'enfant porte le nom du père, les professionnels, ils n'ont pas envisagé la chose à la légère. Après mûre réflexion et une douzaine de réunions, ils ont pris pour acquit que le plus avantageux était de donner aux nourrissons les deux noms de famille de façon systématique, celui du père et celui de la mère. Pourquoi faire simple lorsqu'on peut faire compliqué!

Quand tu te distingues par ta non-appartenance à un corps de métier, quand tu trônes au dessus de la mêlée, il faut que ça se manifeste. Il faut aussi que ça laisse une trace et que ta postérité témoigne de ta signifiance, de ton unicité.

Eugène Bellemarre, son grand-père paternel, était architecte. En principe, la surveillance de chantier ne comporte pas de grands périls et le responsable peut s'y adonner en toute quiétude. Pourtant, c'est sur un site de construction, alors même qu'il remplissait ce devoir, qu'il rencontra pour le meilleur et pour le pire Claudette Martineau, ingénieure civile à qui il ne manqua pas de faire ses civilités; comme la jeune dame était sympathique, il se laissa aller à la fréquenter et en devint éperdument amoureux, au point de lui planter un enfant qui s'avéra être du sexe mâle. On l'appela Jean-Claude.

Cependant, vers la même époque, sa grand-mère maternelle, Geneviève Saint-Hilaire, ortho-pédagogue, déployait toutes les ressources de ses charmes pour séduire le beau prof d'éducation physique spécialisé en sports olympiques qui répondait au doux nom de Richard Dessureault; chaque fois qu'elle en avait l'occasion, elle le serrait de près en laissant voir qu'il ne lui était pas indifférent. Un tel investissement fut profitable. Après qu'ils eurent acquis quelque expérience dans la pratique du coït et qu'ils eurent justement convolé, le Ciel les gratifia d'une fille superbe qui fut prénommée Mireille.

Arrivé à l'âge approprié, Jean-Claude entreprit ses études de droit; dans une salle de cours bondée de futurs magistrats, son regard tomba sur Mireille qui, étudiante en notariat sage et réservée, était davantage séduite par la toge que par son éventuel porteur. Ni l'un ni l'autre n'avait encore atteint la vingtaine. Il fallut du temps au jeune homme pour l'apprivoiser, arriver à lui parler, la faire rire, la chatouiller, la détourner de ses devoirs et enfin lui inoculer sa semence afin de procréer un garçon délicat qu'on baptisa Sébastien-Alexandre.

Et voilà en vertu de quelle consécution de péripéties ledit garçon, qui a maintenant vingt-quatre ans, se nomme Sébastien-Alexandre Dessureault-Saint-Hilaire-Bellemarre-Martineau! Et voilà sans doute aussi pourquoi il ne sera jamais désigné que par le diminutif de Bastos ou par tout autre raccourci pouvant faire l'affaire sur le moment. Remarquez, son extrait de naissance comporte également quelques autres prénoms mais, comme ils ne sont pas usuels, nous ne vous en informerons pas.

Une autre des interdictions que lui impose son nom, c'est celle de jamais devenir mandataire pour quelque organisation que ce soit; s'il choisit de poursuivre sa carrière dans le travail de bureau, il ne devra pas avoir à signer de documents, pour des raisons évidentes de productivité; voilà qui le protège des basses œuvres de l'administration et de la politique.

Ma seule déception, c'est que son taux de testostérone, exceptionnellement élevé, m'a-t-on dit, ne lui inspire pas de s'intéresser de près au sexe féminin. Imaginez! Il aurait pu rencontrer une Marianne-Élisabeth Lamontagne-Petersen-Grandisson-DeLaVallière et engendrer avec elle un bébé mâle ou femelle dont le patronyme aurait défoncé le record Guiness, en plus de faire éclater en mille miettes toutes les bases de données du gouvernement.

En fin de compte, ça lui va bien à Bastos de s'appeler Bastos. Évidemment, tous mes lecteurs ont compulsé le dictionnaire quelques chapitres auparavant déjà pour savoir ce que ça veut dire, ce mot-là. Tous savent donc que ce fut jadis une marque de cigarettes et que l'argot a récupéré le vocable pour désigner une balle de fusil ou de revolver. Je rends hommage à toutes ces personnes consciencieuses qui n'ont cure de laisser planer le mystère sur les mots moins courants et qui ont par ailleurs le bon goût indiscutable de me lire.

Bastos, c'est une balle, n'en doutez pas. À preuve, il est déjà au restaurant lorsque je m'y pointe, malgré le séisme qui a ravagé hier ses couilles augustes. Et en plus, rien n'y paraît, du moins tant qu'il garde son pantalon. C'est à n'y pas croire. Est-ce qu'il a lui aussi un ragoût de boulettes en boîte pour soigner son œdème pelvien?

«Bastos!

— Présent!»

Ce que j'admets avec la conviction propre aux témoins oculaires. J'ai bien peur d'ailleurs qu'il soit plus présent que moi aujourd'hui, vu que j'ai le ferme propos de ne pas moisir ici. Je peux bien renoncer à une journée de salaire pour tâcher d'éclaircir le crachin brumeux et menaçant qui s'est abattu sur mon existence.

«J'étais venu te trouver un remplaçant. Je constate que c'est inutile et tu m'en vois ravi. On dirait que tu survis contre toute attente et que tu vas bientôt pouvoir remettre sur le tapis tes amours torrides!

— Ouais!

— Toi, tu ne sembles pas déborder d'enthousiasme. C'est pourtant positif, non?

— Ouais!»

Bon. Je n'insiste pas. De répondre par des monosyllabes, cela ne lui va pas bien et ce n'est pas tout à fait sa façon, du moins selon ce que je connais de ses inclinaisons naturelles. C'est plutôt le genre à se répandre lorsque le travail ne le sollicite pas trop et qu'il peut donner libre cours à sa faconde.

Pour l'instant, il n'est pas dans son assiette et j'aurais tort de le pousser à davantage de confidences. Comme je le connais, dans pas longtemps il sera incapable de contenir ses états d'âme et il va me raconter tous ses problèmes. Son côté féminin est fort, il prend facilement le dessus. Sa nature éprouve les plus grandes difficultés à passer plus d'une demi-heure sans s'exprimer. La démangeaison s'installe vite. Pas que ce soit un indiscret, au contraire. Sa conversation ordinaire est plutôt de l'ordre du babillage. Mais il me voue toute sa confiance et j'ai droit à un traitement de faveur lorsqu'il s'agit d'échanges.

Ainsi, comme à peu près tous les homosexuels que je connais, Bastos est très réservé lorsqu'il s'agit de ses amours. Mais à moi, il en dit davantage, en termes choisis, cependant, jamais trop crus. À un certain moment, il a connu une crise d'identité assez dramatique. Il lui a fallu faire un long cheminement pour assumer son orientation sexuelle, et je crois l'avoir un peu aidé dans ce sens. Mais il s'est cherché et les prises de conscience ont été cruelles. C'est de cette époque que date notre amitié.

Je le laisse donc à sa moue boudeuse et me dirige vers l'escalier où je compte régler quelques affaires avant de repartir. Mais je ne vais pas loin. Tel que prévu, Bastos prend la parole et crache d'un seul jet :

« Pinson, quand je suis rentré chez moi, hier, je m'attendais à être accueilli avec des compresses chaudes et froides, je croyais que mon copain allait être aux petits soins avec moi. Tellement que j'étais presque content du malheur qui m'arrivait. Mais ça ne s'est pas passé tout à fait comme ça. Figure-toi que ce cœur insensible et marmoréen, eh bien, on aurait juré que ça faisait son affaire que je sois hors service. Comme s'il attendait ce moment. C'est tout juste s'il ne s'en est pas réjoui ouvertement. Et il a profité de mon inappétence provisoire pour se payer une virée géante. Il a dû écrémer tous les bars gais de la ville, tirer sur tout ce qui bouge toute la nuit et se trouver à la fermeture des potes hospitaliers pour continuer la rumba. Quand il est revenu ce matin, son machin, c'était pire que la Montagne Pelée, tellement c'était échauffé. En plus petit, bien sûr. Pour comble, considérant ledit machin encore insuffisamment éteint, il me proposait de lui servir de mouche-cierge express. Tu comprends que je lui ai scié les pattes, à son projet. Pour autant que je suis concerné, à partir de maintenant, il peut se le lécher, son truc, sciotter[27]

---

27. Faut-il expliquer ce mot ou l'image est-elle suffisamment évocatrice?

après les manches de balai, les montants du lit, les coins de murs ou les rambardes, ou encore aller ramoner d'autres tuyaux d'orgues. Il va me ramener une vérole, ce marcassin lubrique. Là, je ne marche plus. C'est pas que je sois jaloux! J'évolue dans un environnement où il vaut mieux ne pas trop l'être. Tu sais, nous cherchons tous le grand amour mais, dans mon milieu, c'est pas une denrée si accessible. Les gars, ils n'ont pas tellement tendance à se courtiser avec des fleurs et la sentimentalité n'est pas toujours au rendez-vous. L'amour est très physique. Une érection, ça se soigne tout de suite, alors que les dîners fins peuvent toujours attendre. Remarque, peut-être que c'est pareil dans ton monde. Mais j'ai toujours l'impression que les femmes apportent plus volontiers un élément sentimental dans les rapports. Pour t'en revenir à mon copain, cette fois, il a exagéré. En plus, je le sais assez, c'est un kamikaze de la bagatelle et il préfère toujours sauter sans parachute. Ça va finir par lui jouer un tour. Mais moi, ma santé, ça vaut bien une baise. Peut-être que je suis trop exigeant, finalement. Je n'arrive pas à me faire à l'idée qu'il me traite comme une merde dès l'instant où je réclame une journée *off*. Je lui ai donné jusqu'à la fin de mon quart pour débarrasser les lieux de sa triste viandasse. Sinon, c'est moi qui le vide. Mais je trouve ça de valeur tout de même, il avait du répondant, ce goret.

— Il en avait trop, je pense. Tu ne pouvais pas espérer essuyer ça à toi tout seul. Sache que je compatis.

— Tu es trop chou!

— Pendant que je t'ai au bout du fil et considérant que tu as retrouvé la parole, j'aimerais que tu prennes la responsabilité du restaurant pour aujourd'hui. Je compte repartir incessamment. Après la folie d'hier, ça devrait être plus tranquille et le personnel est en surnombre. Le livreur de soir va faire toute la journée.

— Ça devrait aller. À conditions que mon scrotum supporte la station debout! Mais j'ai confiance, c'est indestructible, ces billes-là!

— Je prends le cellulaire avec moi et je ne le lâche pas. Tu n'auras qu'à m'appeler si ça tourne mal.

— C'est bon!

— Une seule chose, interdit de me passer Marilou. Elle va appeler, c'est sûr. Dis que je suis allé faire des courses urgentes. Qu'on a manqué de café, tiens.

— Compte sur moi, je vais lui tricoter quelque chose.

— Mais si Stéphane téléphone, là, tu me le passes sans faute. Question de sécurité nationale. »

Il hoche la tête en signe d'assentiment et je gagne le bureau sans plus tarder, pressé que je suis de reprendre mes recherches. Le cellulaire est sur son support qui sert en même temps à recharger l'accumulateur. Je le mets dans ma poche en espérant qu'il fera la journée sur son autonomie énergétique. La boîte vocale de la patronne contient plusieurs messages que j'écoute religieusement en notant les coordonnées des correspondants, des fournisseurs exclusivement que je rappellerai dans mes temps libres; je serais très surpris que leur problème ne souffre aucun délai.

Pour le moment, je juge plus urgent de faire le numéro relevé sur les factures de Stéphane. Trois coups de sonnette plus tard, on décroche. Il n'y a plus que des répondeurs pour te parler, aujourd'hui, et, bien sûr, c'en est encore un. Rien à faire avec ça!

J'ai beau me creuser les méninges, je n'arrive pas à trouver à ces gadgets un côté pratique quelconque. C'est un système d'écho. Tu appelles, on te demande de laisser un message. On te rappelle, c'est toi qui es non disponible et le message te revient. Tu peux jouer à la balle comme ça pendant des jours et des semaines. Et c'est sans compter l'attente, souvent vaine. Tu n'as aucune idée du moment où on va te retourner ton appel ni si on va te le retourner tout court. Tu n'as qu'à danser en attendant, à sauter d'un pied sur l'autre, en guettant ton appareil; ne pas y toucher, surtout, ne pas l'utiliser, vu que s'il est en service toute communication est dirigée vers la messagerie, sans explications.

La ligne est-elle occupée où le correspondant est-il absent? Dans ce dernier cas, est-il au début de ses vacances en Espagne? Ou est-il branché en basse vitesse sur Internet pour la journée?

On dirait qu'une invention, qu'elle soit ou non utile, du moment qu'elle est là il faut lui trouver une application. Le monde aime les bébelles et, pour être in, il faut s'en entourer d'un max. Or, depuis l'arrivée des répondeurs, le téléphone n'a jamais rendu de si mauvais services. Tu appelles une place d'affaires, juste à écouter le message débité d'une voix monocorde et imperturbable, tu perds un temps fou. Si tu comprends du premier coup le mode d'emploi, tu n'en finis plus de pitonner les options pour te faire dire au bout de la course que personne n'est disponible pour te parler.

C'est ça, le défi actuel : parler à quelqu'un. Obtenir d'une vraie personne, en mesure d'en juger, des informations sur le climat du moment. Ça diminue les frais, paraît-il. Je veux bien, ce sont les autres qui payent.

Les services publics sont à cet égard d'un remarquable sans gêne. Ils sont capables de te faire attendre des heures avant de te donner l'information requise. Normal. Si tu les contactes, c'est que tu as un besoin; et si tu as un besoin, tu confères à celui qui peut le combler une supériorité indiscutable; ajoute à cela que tu as affaire à des employés jouissant d'une sécurité d'emploi pour trois carrières successives et tu comprendras à quel point tu as tort de les distraire du grattage de papier qui satisfait pleinement leurs idéaux, toi qui vas leur poser trente-six questions embêtantes.

Et pourtant, ces vices profonds ne semblent rebuter personne. C'est à croire que je suis encore le seul réactionnaire de la planète, le marginal incorrigible, le rétrograde qui croit avoir le pas alors qu'il est simplement incapable de s'aligner sur la démarche commune à tous. Car, des accros du téléphone, il y en a des flopées. Il serait plus avantageux de compter ceux qui ne le sont pas, si on voulait établir une statistique. On en rencontre dans les magasins, à l'épicerie, dans tous les lieux publics imaginables, à la bibliothèque, tiens, où le silence est de rigueur, mais ou une sonnerie, quand ce n'est pas une sonate, ne manque pas de retentir soudain. On en voit traverser la rue sans regarder, concentrés qu'ils sont sur leur appareil. Sur la route, vous suivez un véhicule erratique, lequel évite les accidents parce que les autres arrivent à le contourner, n'allez pas conclure trop vite que l'alcool est en cause; en regardant bien, vous verrez probablement le pilote la main sur l'oreille, dans le geste hiératique que Gilbert Bécaud n'aurait jamais cru voir imiter aussi universellement. Ni aussi mal, non plus.

Votre voisin s'amène-t-il chez vous pour vous entretenir de la haie mitoyenne? Il a son cellulaire à la main pour ne pas manquer une vesse. Ce préservatif de sa sécurité personnelle vient-il à sonner? Le gars vous oublie sur-le-champ pour consacrer toute son attention au correspondant à distance. Aucun choix ne vous est laissé, vous attendez qu'il ait fini. Après trois itérations de ce manège, vous avez envie de lui faire entrer dans le cul la haie et l'outil qui sert à l'émonder, avec en prime son instrument de communication.

Mais c'est quoi, l'idée de lui reprocher ça? Il n'a fait que se conformer à une éthique aussi générale-ment reconnue que les conventions comptables: l'interlocuteur en direct n'est important qu'à la condition que le téléphone ne sonne pas; dans le cas contraire, il n'est rien.

L'autre jour, je me présente dans un commerce de pièces d'automobiles pour obtenir de quoi remplacer un phare grillé. Il y a cinq préposés au comptoir, le casque d'écoute bien en place et qui entretiennent le dialogue décousu dont tu ne saisis jamais que la moitié audible. J'attends sans que personne daigne s'apercevoir que je suis là. Je me suis déplacé pour achalander le commerce, mais qui suis-je donc pour prétendre troubler leurs activités d'opératrices et leurs pourparlers avec des gus qui se sont contentés de faire marcher leurs doigts comme on disait il n'y a pas si longtemps. Soucieux de mener l'expérience à son terme, je tiens bon. Chaque fois qu'un commis fait mine de me regarder, on lui passe un nouvel appel, semble-t-il, et il repart de plus belle en fouillant ses catalogues. J'ai attendu trois quarts d'heure avant que quelqu'un se formalise vraiment de ma présence : «Vous désirez, monsieur?» J'ai répondu : «Ce que je désire? Seulement vous informer que je ne viendrai plus jamais vous déranger!» Et je suis parti acheter ailleurs, sachant pourtant que je n'y trouverais pas meilleure considération.

Voilà! Il m'arrive comme cela, le matin, de me défouler, de jeter ma gourme. Généralement, on est alors tranquille pour la journée, mais je ne donne aucune garantie là-dessus. Cela peut me reprendre n'importe quand. En attendant le prochain dérapage, nous allons pouvoir poursuivre main dans la main le développement de cette intrigue peu commune.

Ainsi donc, ayant composé le numéro trouvé chez Stéphane, je tombe pile sur un répondeur. J'écoute avec attention le message de bienvenue, de sorte que je peux vous le réciter de mémoire; il dit exactement ceci: «Bonjour! Vous avez bien fait le numéro de Ginette, Ricky et Candy. Malheureusement, nous ne sommes pas disponibles. Laissez-nous un message précis après le signal sonore et nous nous ferons un devoir de retourner votre appel.»

Pour diverses des raisons élaborées précédemment, je raccroche juste avant l'audition du «bip» dont la dame Ginette vient de me menacer.

Parce que je présume qu'il s'agit effectivement de Ginette. Pourquoi? Vous vous en souvenez, pourtant, ce prénom correspond à celui que j'ai trouvé comme signataire des lettres au papier bleu. Ce pourrait être Ricky ou Candy, dites-vous? À moitié vrai seulement. Comme c'est une voix de femme, Ricky est de ce fait éliminé. Mon intuition, qui m'a fait notamment reconnaître une voix mature, fait le reste et récuse également la possible Candy.

Voici la topographie que j'imagine: Ginette, c'est la mère, Ricky et Candy, ce sont les rejetons. Ces deux derniers prénoms ne se donnaient pas couramment il y a une quarantaine d'années. Or, nous l'avons découvert ensemble, Stéphane a quarante-cinq ans à des poussières près. Comme la dénommée Ginette lui a écrit jadis force lettres d'amoureuse parfumées et en couleur, ne croyez-vous pas qu'on puisse en déduire qu'il s'agit d'une dame ayant plus ou moins son âge, probablement un peu moins qu'un peu plus? C.Q.F.D.

Je suis contrarié. Non seulement en raison de l'absence ou de la non-disponibilité des personnes espérées. Il y a davantage. Je rêvais obscurément de tomber sur la voix déjà entendue, celle qui m'a informé il y a peu de la défection de Stéphane. Et, à ce sujet, il n'y a pas de méprise possible : ce n'est pas elle qui a enregistré le message. La différence de tonalité est radicale. Plus encore, la classe n'est absolument pas la même. Ginette, elle parle comme tout le monde, avec un accent populaire ordinaire. Celle que j'ai entendue lundi soir, elle avait un débit parfaitement calibré, une prononciation impeccable, un ton de professionnelle de la communication.

C'est ça : c'était une professionnelle de la communication. Il va me falloir chercher ailleurs, mais je rappellerai tout de même cette Ginette plus tard.

Je salue Bastos en passant et je reprends la route.

Première station, la ruelle Chaumont. Je dois aller compléter mes investigations dans l'appartement de Stéphane. L'appel que j'ai fait dans la banlieue de Montréal n'a pas reçu de réponse, mais il n'a pas été inutile. Il m'a convaincu que je devais trouver des indices supplémentaires et surtout considérer avec plus d'attention les lettres d'une certaine dame. Maintenant que Lourdes-Bottes est passé, je risque moins d'être dérangé. Par contre, il se pourrait que certaines choses aient disparu. Ces lascars-là, ils sont certainement habitués à pêcher en eau trouble et ils doivent s'y entendre mieux que moi pour mettre la main sur les détails éloquents.

Mais une surprise m'attend au 247-A. La porte de l'appartement est grande ouverte. Un lourd camion dont la benne a été remplacée par une grosse boîte fermée est stationné en travers de la rue, les roues arrière appuyées contre la bordure en béton qui délimite la chaussée. Je m'arrête un moment pour observer un peu ce qui se passe. Je n'ai pas à attendre longtemps. Deux minutes se sont à peine écoulées que je vois apparaître dans l'encadrement de la porte, à reculons, un ouvrier en costume de travail qui porte avec efforts l'une des extrémités de ce qui semble quelque chose de lourd.

S'agit-il d'un déménagement? Je me réjouis en imaginant que Stéphane est peut-être sur place pour récupérer ses affaires. Mais, à mesure qu'il apparaît, soutenu à l'autre bout par un deuxième ouvrier, je reconnais le fardeau. Il s'agit d'un calorifère de fonte massif d'un modèle ancien. J'ai sauté par-dessus un pareil hier soir en franchissant la fenêtre. Un bris du système de chauffage!

Je prends mon air le plus innocent, du genre de celui que vous adoptez pour raconter à votre femme que vous arrivez de jouer au billard alors que vous sortez tout juste d'une chambre de motel, et je m'avance vers le pied de l'escalier. Les deux tâcherons peinent et soufflent pour amener au ras du sol le monstre archaïque et encombrant qui les gêne pour courir. Arrivés en bas, ils déposent l'objet pour reprendre leur respiration et j'en profite pour m'adresser à celui qui se trouve le plus près.

« Qu'est-ce qui se passe?

— C'est le propriétaire qui pourrait te dire quoi au juste, jeune homme. C'est toi qui habites là?

— Non! Non! C'est un collègue de travail. Et un ami, aussi. Mais il s'est absenté pour quelques jours et je surveille un peu ses affaires.

— Un peu tard pour t'amener. Quelqu'un a scié une vitre hier soir, probablement un voleur. Et, cette nuit, il a fait -20°. Le calorifère de la chambre a gelé, comme de raison, et il a éclaté. Le rez-de-chaussée a été inondé et le logeur n'était pas content. C'est lui qui y demeure. »

C'est vrai, le ciel était clair et il a fait froid la nuit dernière. Même présentement, le soleil a toutes les misères à dégourdir l'air. J'aurais pu y penser, dites, que l'intrusion peu délicate de Lourdes-Bottes allait occasionner du dégât, et peut-être tenter quelque chose. Tant pis, ça ne m'est pas passé par la tête avec l'itinéraire sur lequel j'étais concentré.

« Le locataire ne m'avait pas laissé sa clé, mais je vais tout de même voir s'il manque quelque chose.

— Va te falloir du pif pour découvrir ce qui manque dans le bordel qui règne là-dedans. Ton copain, s'il fait une dépression sur le ménage, sa santé va être sérieusement compromise à son retour.

— Vous avez remarqué ça? »

Et je souris avec toutes mes superbes dents en attaquant les marches. J'ai l'air si sympathique que personne ne s'avise de discuter ma détermination. Comme les ouvriers ne s'attarderont pas longtemps en bas, je fais vite.

Mais, pressé ou pas, je ne peux que constater les changements qui sont survenus depuis ma dernière visite. Hier, c'était le désordre. Là, ce sont les restes d'un véritable saccage. On jurerait que les hordes d'Attila sont passées par ici. La première chose qui me frappe, c'est que le *lazyboy* est éventré du siège et du dossier, comme si on avait voulu y découvrir le trésor d'un corsaire. Et le reste est à l'avenant. La table est renversée, de même que l'une des chaises, alors que l'autre se trouve au pied des armoires dont les panneaux sont tous béants. De la vaisselle cassée est répandue sur le plancher; même les caisses de bouteilles de bière vides ont été éparpillées et sans doute fouillées. Et il fait froid, plus qu'à l'extérieur, on dirait; un courant d'air sournois s'engouffre dans le corridor déterminé par la fenêtre brisée et la porte ouverte.

Je gagne directement la chambre où les ouvriers ont pratiqué un chemin vers le calorifère en repoussant de chaque côté les nippes qui ont absorbé une partie de l'inondation. Là aussi, le sac est maximum. La commode est délestée de ses tiroirs qui se retrouvent pêle-mêle sur le sol et le meuble est lui-même renversé. Les couvertures ont été arrachées du lit et le matelas a été étripé au même titre que le fauteuil.

Je commence par rendre la caméra à sa

tablette en pataugeant dans le mélange d'eau et de tissus; maintenant qu'elle a craché son film, je ne vois pas quel renseignement elle pourrait encore me donner. Je n'ai pas besoin d'ouvrir le tiroir de la table de nuit. Celui-ci est sur le lit éviscéré et son contenu a été pillé sans merci. Les lettres bleues ont disparu, de même que les cartes de souhait diverses. À part les épingles, boutons, cartons d'allumettes et vieux stylos, le tiroir est vide. Tout ce qui pouvait contenir un renseignement quelconque a été emporté.

Je ne suis qu'à demi désarçonné. Je me félicite d'avoir soustrait les comptes de téléphone, la caméra et les cartes à la curiosité des malfrats. Au moins, le numéro de téléphone de cette certaine Ginette a échappé à la razzia et, sauf par moi, elle ne risque pas trop d'être inquiétée. Pour ce qui est des autres papiers, ils ne livraient pas d'informations sur les expéditeurs, pour autant que j'aie pu en juger lors de mon examen rapide d'hier. J'ai d'ailleurs réfléchi à cela durant la soirée. Possible que je me trompe, mais on dirait bien qu'il y a une conspiration de la discrétion autour de Stéphane; comme si chacun voulait cacher ses rapports avec lui. C'est tout de même étrange. Vous pensez si je ne vais pas lâcher le fil d'Ariane qui me relie à une certaine résidence de la rive sud de Montréal. Je compte d'ailleurs m'attaquer plus résolument à cet indice d'ici peu de temps.

Je tâte en hâte[28] les poches de quelques pantalons qui gisent çà et là sur le lit, ignorant délibérément ceux qui sont par terre, trop détrempés à mon goût. Je ne trouve qu'un peu de petite monnaie, des papiers mouchoir usagés et des coupons caisse du dépanneur du coin. Ce cher Stéphane, le liquide lui coûte plus cher que le solide...

Les ouvriers sont dans la boîte du camion lorsque je me retrouve à nouveau au bas de l'escalier. Ils y ont fait monter le dinosaure de fonte et ils s'affairent à déballer et à assembler un autre échangeur calorifique d'un modèle plus récent et également plus petit. L'homme avec qui j'ai conversé précédemment m'apostrophe :

« Alors ?

— Rien de significatif n'a été volé. Juste des papiers sans valeur. J'ai pas pu tout vérifier, cependant. Je manque de temps.

— Tu ferais mieux de voir le propriétaire. Pour la réclamation d'assurance. C'est peut-être important.

— Je reviendrai plus tard. Ce soir, si ça se présente bien. Je dois prendre mon quart de travail et je suis déjà en retard. Salut !

— Salut ! »

Et ma Golf disparaît un instant plus tard dans la côte des Autochtones.

---

28. Notez l'allitération qui me vaudra peut-être le prix littéraire Bob Cliché. C'est quand même pas tellement pire que le « Pour qui sont ces serpents qui sifflent sur vos têtes ? » d'un dénommé Racine.

Chapitre 10

Adalbert

Deuxième station, le lave-auto. J'espère que je n'aurai pas à me taper tout le Chemin de Croix avant de tomber sur du consistant. J'espère surtout sauter la douzième station où le Christ passe l'arme à gauche. À l'âge tendre que j'ai, je ne me sens pas encore la moindre attirance pour un tel destin. Je compte bien me rendre à trente-trois et même plus avant de laisser ma peau aux corbeaux, de me déguiser en viande à renards. Moi, mes vœux de résurrection, ils risquent peu d'être exaucés dans les trois jours.

Chez Bouchard-Beau-Char inc., ce n'est pas encore l'affluence à cette heure matinale. N'empêche, l'atelier fonctionne à plein régime et tous les employés y ont leur voiture à traiter. L'entreprise se spécialise principalement dans les systèmes de son, les pare-brise et les démarreurs à distance. Elle propose en outre à ses clients en attente des multitudes de dispositifs susceptibles d'améliorer sinon le confort, du moins l'apparence de leur véhicule : phares de brume, lampes à iode de couleurs, lumières de toit pour les utilitaires, roues en alliage de magnésium, porte-bagages, toits ouvrants, et j'en passe beaucoup, vu que je ne suis pas payé pour faire la réclame de la maison. Mais il y a du chrome dans les étalages, je vous en passe un papier. Ça miroite partout et, où que tu ailles, tu vois ton image déformée qui vient à ta rencontre, monstrueuse.

L'établissement se présente en deux parties parallèles. D'un côté, c'est, à l'avant, la salle de montre et d'attente au coin de laquelle trône le comptoir de service et, à l'arrière, l'atelier comportant quatre espaces de travail accessibles par autant de portes motorisées de grande dimension. L'autre côté est constitué d'un long corridor, délimité à chaque extrémité par une porte à ouverture assistée, où défilent les voitures qui reçoivent un shampoing en plusieurs étapes.

Il doit entrer une huitaine de bagnoles en même temps dans ce tunnel où le lavage est effectué à la main par un nombre considérable d'employés en période d'achalandage. Pour le moment, il n'y en a que deux d'après ce que je vois par la porte vitrée sur le côté de la salle de montre : un gars et une fille.

Mais oui, une fille! C'est rare qu'on en voit faire ce métier et, bien entendu, mon intérêt, souqué par des hormones sournoises, est attiré de ce côté, alors même que le propriétaire, occupé avec un client, me laisse un peu de répit.

Elle est ravissante, la lavandière de *bazous*, elle a l'air d'une étudiante en rupture de cours de maths et sa morphologie s'agrémente de tout ce qu'il faut pour rendre fou l'homme des cavernes que le mâle humain ne cessera jamais d'être.

Sauf qu'elle a cru s'améliorer en se faisant des perçages un peu partout. Elle a un anneau dans chaque sourcil, trois dans l'oreille gauche, deux dans la droite, une tige dans la paroi gauche du nez, trois cercles de platine dans la lèvre inférieure, dont l'un retient un faux diamant, l'autre un faux rubis et le troisième une fausse perle. Elle s'est vissé un colifichet indéfinissable autour du nombril que son t-shirt, plutôt un débardeur très court et à l'encolure évasée qui ne la vêt que très peu, dégage largement. Elle a probablement bien d'autres hors-d'œuvre accrochés en des endroits que je ne puis apprécier, vu mon inaptitude à voir à travers les vêtements.

Lorsqu'elle boit un verre d'eau, elle doit se métamorphoser en arrosoir à tulipes avec tous ces trous dans l'épiderme. Et, consommer cette jeunesse, ce doit être comme mâchouiller un mélange de métal et de gravier, peu importe par quel bout tu l'attrapes. Est-ce une précaution contre les cannibales?

Pour le moment, elle patauge dans l'eau sale autour d'une Chrysler 300 avec la vivacité d'un jeune chien et des élégances troublantes de gazelle, faussement insouciante des marées de désir qu'elle soulève autour d'elle. Une fleur! Même les bottes à vêler n'arrivent pas à compromettre le halo magnétique qui la nimbe et sa présence insolite dans ce lieu de travail humide met encore davantage de piquant, s'il en faut, au charme dont elle se pare naturellement.

Alors! Je ne vais pas passer la journée à m'extasier devant ce tableau! D'autant que le patron en a terminé avec son client et qu'il me regarde, vaguement réprobateur. Il me paraîtrait tout à fait déplacé qu'il se réserve la belle pour son usage personnel et je conclus qu'il doit s'agir de sa nièce, ou pire, de sa fille. Plutôt sa petite-fille, je dirais. Adalbert Bouchard, il a dû aborder les soixante et dix, maintenant. Pour moi, c'est un immeuble; je l'ai toujours vu derrière son comptoir, impeccablement mis, immuable en dépit des années, droit comme une statue antique. Ses cheveux sont tout blancs et encore passablement abondants, alors que son menton s'orne d'un bouc fourni où un peu de poivre résiste encore au sel qui poursuit sa conquête inéluctable.

Il m'a reconnu dès mon arrivée et, lorsque à contrecœur je m'arrache à la contemplation de la naïade de caniveau pour lui accorder mon attention, en homme de public, il sourit large et reprend l'air accort et empressé qui lui sert à accueillir sa pratique.

«Pinson, tiens! Le plus propre de mes chandails!»

Il me l'a déjà faite et j'apprécie modestement, juste ce qu'il faut pour qu'une conversation cordiale puisse avoir lieu entre nous.

«Me semble qu'on ne t'a pas vu depuis un lustre. Tu vas tout de même pas me dire que ton cancer généralisé signé Volkswagen connaît une période de rémission.

— Si, pourtant. Je touche du bois chaque fois que j'en vois.

— Tu devrais aussi entreprendre une neuvaine. Et aussi faire vœu de détourner le regard chaque fois que tu vois une belle fille.

— C'est vrai qu'elle est pas mal, votre shampouineuse. Le fer d'armature en moins, elle serait irrésistible.

— Hé, là! T'as pas encore l'ancienneté pour devenir vieux jeu. Vaut mieux te faire aux nouvelles modes, fiston. Ainsi, lorsque tu auras mon âge, tu en auras tellement vu que tu ne te surprendras plus de rien. Tu trouveras même de la séduction à ces bizarreries métalliques ou minérales.»

Je laisse deux mesures de silence s'intercaler entre les répliques, histoire de donner à mon amour-propre le temps d'absorber la leçon de l'aïeul.

«À mon grand regret, je n'ai pas de rançon à vous verser cette fois-ci. Je viens pour le Crotale et je voudrais solliciter votre mémoire.

— Tu veux écrire l'histoire de ma vie!... Tu sais que tu peux me tutoyer.»

Ça, j'ai beau essayer, ça ne passe pas. On ne se refait guère sans se dénaturer. J'ai été élevé à vouvoyer les personnes plus âgées que moi et le pli est irréversible. L'aînesse d'Adalbert Bouchard est par trop radicale. Aussi, continué-je sans relever le commentaire.

«Désolé, je n'ai que peu de talent pour la biographie et encore moins pour l'hagiographie. C'est de lundi dernier que je veux vous parler. Quelque part en après-midi.

— Lundi... Lundi...»

Je le vois réfléchir intensément, cherchant à deviner mon propos.

«Notre livreur de jour, Stéphane, il a dû passer par ici faire laver la voiture. Est-ce que ça vous rappelle quelque chose? Est-ce qu'un détail ou un événement inhabituel aurait attiré votre attention?

— Une question à la fois. La voiture de livraison est-elle venue? Facile: j'ai là-dessus une mémoire de papier ligné.»

Ce disant, il tourne deux pages d'un cahier à couverture noire bien en évidence sur le comptoir. En s'aidant d'un index étonnamment crochu dont on a l'impression qu'il indique autre chose que ce qu'il pointe, il révise les inscriptions faites à la main d'une écriture cursive bâtonnante. Le doigt descend rapidement pour s'arrêter sur une ligne où je vois à l'envers le nom du restaurant avec au bout une étoile à cinq branches grossièrement dessinée suivie d'un astérisque tout aussi maladroit.

«Oui, Stéphane est venu. C'est normal, il vient pratiquement chaque jour, de ce temps-ci. Seconde question: contrairement à son habitude, il n'a pas récupéré le bordereau de service, j'ai mis un astérisque, comme tu vois. Ça arrive souvent dans le cas des commerces. De toute manière, je facture globalement à la fin du mois et j'envoie en même temps les bordereaux oubliés. Mais ton homme, il est ordinairement assez particulier sur ce point. Je crois que c'est la première fois que je le prends en défaut.

— Rien d'autre?

« — Pas à ma connaissance, je n'ai rien remarqué... Un instant. »

Il prend le combiné du téléphone, presse deux touches et prononce :

« Roxane, peux-tu venir une minute? »

Il raccroche.

« C'est sans doute elle qui s'est occupée de ton copain. »

Juste le temps de finir sa phrase, ladite Roxane pousse la porte vitrée et s'avance, l'air préoccupé.

« Oui, c'est à propos? »

Je n'avais pas tort de supposer qu'elle cachait d'autres articles de quincaillerie en des endroits de son anatomie moins directement accessibles au regard. Dès qu'elle parle, pas moyen de manquer la broche dont on lui a perforé la langue, surmontée d'un caillou de couleur topaze. Ça égaye d'un petit chuintement sa voix d'enfant qui aurait grandi prématurément. Je remarque aussi un autre détail qui avait échappé à mon premier examen. Il s'agit d'un tatouage au-dessus du sein gauche qui proclame ceci : *R love J.-F.* Roxane aime Jean-François, peut-être? Mais oui, elle a mis le verbe en anglais pour s'assurer de faire tout à fait graffiti de chiotte. Qui a dit que beauté et bon goût vont forcément de pair? Les caractères sont en vert avec le « o » rouge en forme de cœur transpercé de son inévitable flèche d'or. Elle aura bonne mine lorsque son JF l'aura laissée tomber et que ses ardeurs se porteront sur Victor, Kevin ou Armand. Il va lui falloir styliser sérieusement sa déclaration.

Ceci dit, sa grâce n'en est pas autrement affectée. J'espérais inconsciemment que les circonstances me permettraient de voir et d'apprécier cette douceur de plus près. Je me désolais même secrètement d'avoir à quitter bientôt sans avoir fait plus ample connaissance. Sa présence fait monter d'un cran ma tension artérielle. Son JF, ma foi, je serais bien partant pour le cocufier.

C'est vrai qu'elle n'est pas de mon âge, espèce de satyre qu'en vain je me défends d'être. Exact que mes sentiments sont déjà solidement engagés ailleurs, vilain traître que je suis en dépit de mes principes les plus stricts. N'empêche!

Hé, les gars de la planète! Je vous prends tous à témoin, les hommes, ils sont comme ça. Ils sont comme le Larousse: même lorsqu'ils ne sèment pas à tous vents, ce n'est pas l'envie qui leur en manque et l'exclusivité ne leur est pas naturellement facile. Pas moyen de raisonner cela.

Il y a une historiette que les femmes nous racontent en se tapant les cuisses de contentement, surtout lorsque le féminisme les a lourdement conditionnées. C'est Dieu qui dit à Adam: «J'ai deux bonnes et une mauvaise nouvelle à t'annoncer. La première bonne nouvelle, c'est que je t'ai donné un cerveau; la seconde, c'est que je t'ai donné aussi un pénis. La mauvaise, enfin, c'est que les deux ne peuvent pas fonctionner en même temps.» Ah! Ah! Ah!... Tu entends ça, tu ris jaune, mais tu ne peux guère te défendre d'y trouver un fond de réalité.

Comme je jongle avec ces pensées biscornues, le patron reprend la parole:

«Lundi après-midi, la Honda de livraison du Crotale Sonné est passée pour un lavage. Tu te souviens?»

Elle a à peine un instant d'hésitation avant que son regard vert s'éclaire et illumine du même coup son expression à la fois réservée et polissonne.

«C'est le gars qui s'est sauvé!

— Il s'est sauvé? Comment ça? réagis-je aussitôt.

— Comme ça. J'ai même pas eu le temps de finir d'essuyer les vitres. Le livreur, tout à coup, il s'est précipité dans la voiture et il a verrouillé les portières. Il y avait un autre client en avant de lui. Comme j'en avais justement terminé avec son carrosse, j'ai ouvert la sortie pour le laisser aller. L'autre, il a pas attendu que je revienne finir mon travail. Il est parti en même temps; un peu plus il me passait sur les orteils alors que je lui faisais signe d'arrêter. Rendu dehors, il a accéléré en fou, comme s'il avait vu le diable. Je comprends que j'étais mal coiffée, mais quand même. J'ai pensé d'abord qu'il voulait nous voler un lavage, mais avec la raison sociale qu'il promène en Honda il était facile à retracer. C'est pour ça que je ne vous l'ai pas dit.»

Cette dernière phrase a été adressée à son patron.

Moi, je vais vous confier mon état d'âme. Je jubile. Pour la première fois, je frappe un noyau dur dans cette béchamel gluante. Me croirez-vous si je vous affirme que je suis suspendu à ses lèvres, à Roxane, notamment à son inférieure où brinqueballent les trois pierres en toc qui font de drôles d'arabesques pendant qu'elle parle, sous le point d'orgue de sa langue? Je suis hypnotisé par le spectacle et par les mots magiques qui en émanent selon une cadence régulière.

Quand je pense que j'ai refait hier soir tout le chemin suivi par Stéphane pour ne trouver le morceau tant cherché du puzzle que tout au bout du périple. Pourtant, c'était prévisible. Si le livreur a disparu aussi soudainement, c'était forcément pour un motif ayant pris forme à la fin de sa course. Il fallait l'attaquer à l'envers, son itinéraire. Je fais vraiment un limier d'exception. À ce rythme, ce n'est pas demain que je serai Seigneur des Anneaux. J'ai des croûtes à manger.

Je remets à plus tard ma séance intensive d'auto-flagellation. Du temps que j'ai cette douce enfant et son possible pépé devant moi, autant en tirer le maximum d'informations.

«Monsieur Bouchard, en consultant votre cahier-mémoire, êtes-vous en mesure de me dire si, en même temps que la navette du resto, il y avait une Jaguar bleue dans le tunnel de lavage?»

À nouveau, l'index tordu louche sur la page, pour s'immobiliser quelques lignes plus bas que précédemment.

«En effet, elle suivait. Il y avait quatre voitures entre les deux.

— Vous en connaissez le propriétaire?

— Absolument pas. Et je ne prends pas les noms, juste la marque des voitures ou un indice qui me permet de les reconnaître lorsque vient le temps de payer. À ce moment-là, s'il ne s'agit pas d'une compagnie à facturer plus tard, je ne remets que le coupon caisse, preuve suffisante de l'enregistrement de la transaction. Plus de la moitié de la clientèle me règle de cette façon, et c'est très légal, inattaquable, même. Le gars de la Jaguar, je ne l'avais jamais vu. C'était, à ma souvenance, un homme assez grand, plutôt maigre et osseux, les yeux cachés par la visière de sa casquette. Une barbe de Gainsbourg avec ça.

— Il y avait trois types dans la Jag. »

C'est Roxane qui vient de se manifester à nouveau. Vivement, je tourne le regard vers elle pour l'encourager à continuer.

« Le grand sec, c'était le chauffeur. Sur la banquette arrière, il y avait un gros chauve, genre businessman avec un gilet Mao blanc qui lui faisait comme un col romain. Il avait les dents jaunes, très jaunes, que ça m'a fait penser qu'il devait fumer le cigare.

— Et l'autre?

— Un gros épais, surtout au niveau de la panse. Mais ce qui m'a le plus marqué, c'est ses chaussures. Deux verchères[29], si vous voyez ce que je veux dire. Une pareille infirmité, ça fait

---

29. Voilà un terme assez spécialisé, propre à un certain milieu et au sujet duquel les dictionnaires usuels demeurent discrets. Or, il me semble essentiel à la bonne appréhension de l'image. Voici un portail Internet qui pourra vous être utile : « www.granddictionnaire.com ». L'Office québécois de la langue française, c'est comme une vieille moustiquaire, ça laisse passer les brûlots.

oublier tout le reste. Tu ne peux pas te rappeler la couleur des yeux.

— C'est comme un décolleté profond... Les trois, ils ont attendu dans la salle de lavage?

— Au début, non! Comme les vitres de la bagnole étaient fortement teintées, je ne les aurais pas vraiment vus s'ils étaient restés là. C'est tout à coup qu'ils sont sortis. Juste au moment où ton livreur s'est engouffré dans sa sauteuse et a disparu.

— Est-ce qu'ils ont dit quelque chose?

— Ils avaient l'air excités et ils parlaient entre eux. J'ai pas pu entendre et je n'y prêtais d'ailleurs pas beaucoup attention. Il y en a un qui a crié plus fort, une fois. Un seul mot.

— C'était quoi?

— J'ai pas bien compris. Quelque chose comme... annuel, ou actuel. On aurait dit un sur-nom, d'après le ton. »

Je pense que la demoiselle a livré son charge-ment. Elle s'est montrée collaboratrice. Si elle savait quelque chose de plus, elle le dirait sponta-nément, j'en suis persuadé. Je lui souris comme il sied à un gentleman mis en présence d'une jolie jeune fille et la remercie. En même temps que ses commissures, les faux bijoux se distancent, alors que ses lèvres laissent voir des dents de jeune chat. C'est fugace. Vraiment, malgré les remontrances d'Adalbert, je lui trouverais encore plus de grâce sans ses identifications d'animal de boucherie. Elle retourne à ses fonctions de routine, de sa démarche féline.

J'ai une dernière question à l'intention du tenancier.

«Le grand sec, est-ce qu'il n'aurait pas payé avec une carte de crédit ou de débit direct, des fois?

— Pantoute[30]! Il a craché le tarif en argent, avec un royal pourboire. C'est plus facile de me souvenir, dans ces cas-là. Du papier-monnaie, il en avait, faut dire. Un pilot. Je me suis même demandé si tout ça était convenablement blanchi.

— Dommage...

— Faut pas pleurer, petit, on a fait ce qu'on a pu pour toi. Mais pour le nom et l'adresse, tu devras chercher ailleurs. Ici, c'est un commerce. Quand tu vas au dépanneur, tu ne laisses pas ta photo à la caisse, n'est-ce pas!

— Vous avez été super. Merci beaucoup.

— Tu sais, Pinson, j'veux pas me mêler de tes affaires, mais ta curiosité finit par titiller la mienne. Il se passe quoi, avec Stéphane? Est-ce qu'il s'est envolé avec la voiture du restaurant pour que tu cherches comme ça les indices de son passage.»

Évidemment, je m'y attendais, à ce genre de question. J'aurais été bête de penser que mes recherches allaient passer complètement inaperçues. Ce qui ne veut pas dire que je sois content

---

30. Ah! Là, je suis vicieux. L'OQLF ne voudra pas vous aider pour celui-ci. Moi non plus. Débrouillez-vous. Je lis bien Chrétien de Troyes dans le texte.

de faire dresser des oreilles indiscrètes. Vu le caractère essentiellement officieux de ma démarche, j'aimerais frapper d'amnésie tous ceux à qui j'ai affaire. Je me défile dans des généralités.

«Non, rien à lui reprocher. C'est surtout que c'est un bon ami et qu'on ne l'a pas revu depuis son passage chez vous. Mais j'anticipe, il est encore possible qu'il se présente au travail aujourd'hui.»

Je prends congé, songeur tout de même, sous le regard plus ou moins convaincu d'Adalbert. Il n'est pas né de la dernière bordée de neige, le bonhomme; on peut toujours lui raconter des fables, cela ne signifie pas qu'il va presto y ajouter foi, même s'il fait semblant pour ne pas mortifier un client ancien et toujours potentiel.

Par quoi est-ce que je continue, maintenant? Il y a deux problèmes distincts sur ma table de travail. Un, qu'est devenu Stéphane et pourquoi a-t-il pris peur? Deux, quel est le genre d'activités que pratique le camp de Lourdes-Bottes? C'est bien connu, à courir deux lièvres, on n'en attrape aucun. Je vais de quel côté? La solution à l'un des deux problèmes aura-t-elle pour effet de résoudre l'autre dans le même souffle?

C'est la perplexité totale. Je considère tout de même que j'ai fait un pas de géant en venant ici. Au moins, j'ai enfin trouvé une trace. Et quelle! Les informations obtenues, cependant, ont fait s'écrouler toutes mes certitudes. Je croyais que Stéphane avait découvert quelque chose qui pouvait compromettre sa santé. Que non pas, comme disait un évêque en chaire, du temps de ma prime jeunesse, lorsqu'il faisait les paroisses pour administrer la confirmation aux finissants de l'école primaire.

Ce qui m'apparaît aujourd'hui, c'est que les antagonistes en présence se connaissent de longue date et qu'ils se sont retrouvés par hasard dans ce lave-auto. Je n'en sais pas plus, pour le moment, mais je compte bien découvrir la vérité, fût-ce uniquement pour mon édification personnelle. Et comme je respecte ceux qui me lisent, ainsi qu'il apparaît depuis le début de ce polar, je vous ferai part de mes découvertes, au fur et à mesure.

Mais je vais par où, maintenant?

Passons au prochain chapitre. Peut-être que, entre les deux, j'aurai une inspiration féconde, et que je prendrai la bonne route d'instinct.

Chapitre 11

Esther

Après Roxane, je crois être en présence de son fournisseur de *piercings* en tout genre. Le commis qui me reçoit à l'atelier de photo, en effet, et qui remplace celui auquel je me suis adressé hier me fait immanquablement penser à ma Makita sans fil, lorsqu'elle est armée d'un foret à pointe de carbure destiné à vaincre le béton le plus pugnace.

Il doit avoir quinze ou seize ans, ce réprouvé de l'adolescence. Il est couronné d'un béret bleu pâle qui ne dissimule que très peu de sa tête disgracieuse et qui ne fait certainement rien pour atténuer l'ingratitude de sa physionomie. Un nez trop long et trop pointu, un menton trop lourd mais rentré, le visage étiré et encore indécis, des pommettes saillantes et maigrichonnes, des yeux noirs, chargés d'autant d'expression que ceux d'un représentant de l'espèce bovine et doublés d'une paire de lunettes aux verres épais qui grossissent démesurément les organes qu'ils ont pour objet de rendre fonctionnels. Ses joues s'ornent d'un duvet hésitant, qui n'est plus tout à fait poil follet mais qui n'est pas barbe encore. En surplomb de sa lèvre supérieure fortement avancée, cette pilosité peu engageante se donne une teinte plus foncée et annonce davantage ce qu'elle sera dans quelques années. Ajoutez à ce paysage une Voie Lactée de bubons à tête blanche et vous aurez une idée assez précise du personnage; vous pourrez contribuer à établir son portrait-robot, à moins que vous ne préfériez cartographier la face cachée de la lune.

De surcroît, lorsqu'il parle, son élocution ne contribue absolument pas à atténuer son image de veau mal allaité; elle présage des fautes de français dont il doit ensemencer ses cahiers et décourager ses profs.

J'ai dit que ce pouvait être le fournisseur de Roxane. Ce pourrait tout aussi bien être son ami de cœur, sans que ce livre tombe dans l'invraisemblance.

Avez-vous remarqué, les plus exquises des toutes jeunes filles, elles trimbalent dans leur main la mandibule d'un coléoptère peu rassurant dont, vraiment, le charme secret échappe au commun des mortels; un animal généralement affublé d'une calotte à longue palette qu'il ne doit pas retirer pour dormir, tant il résiste à s'en départir en toutes circonstances; ça doit être dangereux de se blesser un œil, d'embrasser le détenteur d'un semblable accessoire. Lorsque ce n'est pas la casquette, il se peut que ce soit une épaisse tuque de laine ou tout autre couvercle insolite qui cache les oreilles, les sourcils et la nuque par trente degrés à l'ombre; là encore, c'est vissé à la boîte crânienne et il faudrait une intervention chirurgicale pour séparer le zouave de cette siamoise auréole.

Phénomène d'identification, disent les psy, – chologues ou – chiatres. Paraît que c'est normal, et je veux bien, au fond. C'est pratique, d'être mineur. Tu peux tout t'autoriser, y compris la connerie. Les psy, ils sont d'arrangement. Ils sont toujours disposés à te trouver des motivations profondes qui te disculpent de ta bêtise, qui l'expriment dans des mots si *politically correct* qu'on regrette de ne pas avoir sous la main une médaille à lui décerner. Pas étonnant que les perturbations de l'adolescence se prolongent; c'est une situation confortable.

Pour en revenir aux toutes jeunes beautés qui s'associent à la hideur, je crois que c'est précisément là le fondement du conte voulant que la princesse embrasse le crapaud pour en faire un prince charmant. Et le plus extraordinaire, c'est que ça marche, cette recette-là. Mais ce n'est pas aussi magique ni instantané que le voudrait la légende. Il faut du temps pour faire un éphèbe d'un batracien. Il faut l'embrasser pendant des années avant qu'il soit présentable.

Avec les photos récupérées, je m'engouffre dans mon auto et ne trouve rien de plus pressé que de les contempler. La récolte est décevante. Tout d'abord, des vingt-quatre expositions que comportait le film, il ne m'est revenu que treize clichés aux couleurs fades et aux contrastes plutôt faibles, qui ressemblent à des daguerréotypes de la fin du dix-neuvième. Les autres, sans doute, étaient impropres au développement et ils ont été éliminés. Comme la date apparaît au bas de chaque photo, il m'est facile de trouver une explication à leur mauvaise qualité : elles ont été prises au printemps de 1996; le film avait tout simplement vieilli dans l'appareil.

Ce sont surtout des paysages qui ont été photographiés; on y voit des sites montagneux impossibles à situer, du moins avec les connaissances topographiques dont je dispose.

Trois photos ont pour centre des personnages. Sur l'une je reconnais Stéphane, une dizaine d'années plus jeune, flanqué d'un côté d'une dame d'environ trente ans et de l'autre de deux enfants, un grand adolescent au crâne rasé de près sauf une bande sur le milieu qui forme une haie de hallebardes et une petite fille en passe de devenir une femme sous peu. Instinctivement, je mets des noms sur les trois inconnus : Ginette, Ricky et Candy.

Pour ce qui est de Stéphane, un détail me frappe immédiatement : c'est qu'il porte une sorte de débardeur qui laisse ses bras dénudés, une tenue que je ne lui ai jamais vu arborer depuis que je le connais; tout au contraire, il porte toujours des manches longues, hiver comme été, et même la patronne n'a jamais pu le convaincre d'adopter un costume différent, celui-ci fût-il imposé à tous les autres employés par le choix d'un uniforme. Mais il y a plus : ses bras musclés sont couverts, depuis le poignet, de tatouages tout en lacis qui remontent jusqu'à l'épaule avant de se perdre sous le vêtement léger. C'est un peu extravagant comme tableau. La peau disparaît presque complètement sous ces arabesques fantasques. Étrange qu'il soit réfractaire à laisser voir ces stigmates!

Sur la seconde image, ce sont trois hommes qui apparaissent et il m'est facile de deviner qui ils sont : celui avec le cigare, c'est le businessman que m'a décrit Roxane. Le grand sec, c'est le chauffeur et l'autre, Lourdes-Bottes lui-même, moins épais qu'aux jours d'aujourd'hui, sans être mince cependant, loin s'en faut. Les trois ont été saisis à partir de la taille, en plan passablement gros. Aucun élément de décor ne permet de situer la prise de vue.

Sur la troisième photo, les figurants ne se préoccupent nullement de la caméra, ce sont des enfants qui jouent dans ce qui semble être une cour d'école. L'image les montre de loin et il serait vain de vouloir les identifier. Rien à tirer de cette image.

Pourtant, c'est celle-là qui me fait le plus d'effet. Un effet que je n'arrive pas à décrire. C'est cette réminiscence mystérieuse qui me revient, ce flash, cette impression de rater un élément essentiel enfoui dans mon subconscient et que je ne parviens pas à faire remonter à la surface. J'ai beau creuser, fermer les yeux, me concentrer, ça ne vient pas. Pourtant, l'éclair a été très fort, cette fois, je l'ai presque eue, la révélation. Mais plus je la cherche, plus elle semble se dérober à ma quête, plus elle devient floue. Une fois de plus, je dois renoncer, ne plus y penser en attendant que l'image se matérialise à nouveau. Elle finira bien par prendre suffisamment de consistance et me donner une indication précise quant aux actions à entreprendre.

Il ne me reste qu'à lancer le moteur, à poursuivre cette course qui commence à me donner le cafard.

Direction l'arrondissement situé dans l'extrême ouest de la ville. Dans cet arrondissement, il y a un quartier. Dans ce quartier, il y a une rue. Dans cette rue, il y a un numéro civique et à ce numéro civique, il y a un cégep. Aussi vrai que l'arbre est dans ses feuilles, maluron, maluré. Pourquoi je vais par là? Toujours l'insatiable curiosité qui s'impatiente. Pas facile, d'écrire pour des casse-pieds comme vous. Il faut toujours tout dire, et tout de suite. Tu n'as jamais le temps de souffler, de prendre l'intrigue relaxe, de naviguer doucement sur de belles grandes périodes littéraires, avec une principale, des incises, des subordonnées, des adjectifs qualificatifs, numéraux, partitifs, ainsi que des ablatifs absolus. Ces derniers, bien entendu, si tu t'exprimes dans le latin de Cicéron. Il te faut donc bâtir ton texte à la diable, éviter les circonvolutions qui compromettent le rythme de l'action, sous peine de te voir privé de ton *fan club*, plus prompt à te condamner qu'à te trouver du talent.

Eh bien! Soit! S'il faut en passer par là pour être reconnu digne de passer à la postérité, je fonce.

Afin de répondre à votre fébrilité, je dois vous faire une confession auriculaire. Tendez votre oreille la plus miséricordieuse : je vous ai fait des cachotteries.

Vous savez, depuis le début de cette histoire à ne pas dormir du tout, ni debout, ni à l'horizontale, j'ai eu l'air d'un con plus souvent que ma dignité, en général, ne peut le supporter. J'ai multiplié les bévues, les erreurs de direction, les bourdes et les insuffisances, et vous conviendrez que je n'ai pas cherché à les maquiller. J'ai eu jusqu'à présent toutes les apparences de l'imbécillité. Dans la vie courante, il m'arrive souvent de mal paraître, mais ce n'est que ma façon de m'habiller. Au fond, je réfléchis, qui l'eût cru? J'admets que j'ai eu du temps pour ce faire au cours des dernières vingt-quatre heures.

Et ma réflexion m'a conduit à l'hypothèse suivante : la chère âme infiniment discrète qui m'a téléphoné lundi soir, est-ce que ce ne serait pas Candy? Et ne vous ai-je pas dit quelque part que je soupçonne cette correspondante d'être une professionnelle de la communication? S'il s'agit de Candy, laquelle j'identifie tout aussi hypothétiquement sur l'une des trois photos, elle n'a pas plus de vingt-deux ou vingt-trois ans, aujourd'hui, probablement un peu moins, même, ce qui tendrait à signifier qu'elle a terminé ses études depuis peu. Or, le cégep vers lequel se portent mes pneus dispense un programme de formation en communications exclusif au Québec. Enfin, mon frère âne, ne vois-tu rien venir?

J'ai beaucoup d'amis dans cet établissement de haut savoir et je pense à une qui enseigne dans le domaine des communications média-tiques. Si mon horoscope m'est faste et généreux ce mercredi-ci, je trouverai éventuellement auprès d'elle à confirmer ou à infirmer mes élucubrations.

Boulevard faisant, j'aiguise ma ruse en imaginant comment je vais m'y prendre, en dépit des lois sur l'accès à l'information, pour tirer les vers du nez à cette sœur que je n'ai pas vue depuis plus d'un an, maintenant. Nos routes se sont séparées dans des circonstances assez moroses, mais j'espère qu'elle me garde toujours au frigo des restes de ses bons sentiments.

Esther Parisé, elle avait des vues sur ma personne, dans le temps, et je la trouvais moi-même assez sympathique. Ses projets auraient pu aboutir, ils faisaient discrètement leur petit bonhomme de chemin au hasard de nos rencontres dans des endroits publics que nous fréquentions tous les deux.

Mais elle commit une grave erreur, qui s'avéra vite préjudiciable à ses projets quant à l'approfon-dissement de notre relation : elle me présenta Junie... Il n'y a jamais eu de scène entre nous, juste un désintérêt progressif de ma part dont, je pense, elle a été quelque peu ulcérée. C'est pas facile à avaler, ces choses-là, pour l'orgueil féminin. C'est comme quand ton conjoint met les voiles en embarquant ta meilleure amie. Dire que, de mon côté, je lui voue secrètement une profonde reconnaissance !

Le programme en communications occupe un

pavillon séparé du corps de bâtiment principal : une annexe beaucoup plus petite, de deux étages seulement et de construction largement antérieure au Cégep lui-même, où alternent quelques salles de classe avec des aires encombrées de matériel divers de sonorisation ou de prises de vues qui simulent des studios de télévision ou de radio. Les bureaux des professeurs ont été aménagés ici et là, dans les espaces restreints que cette disposition aurait autrement négligés comme perdus et inutilisables.

Le hall d'entrée est en cours de rénovation et, pour le traverser, il faut foncer à travers une brume de béton pulvérisé dans un bruit qui n'est pas sans rappeler celui que fait la fraise du dentiste lorsqu'elle attaque une molaire cariée. Au premier, ces inconvénients sont atténués, heureusement; ils permettent de distinguer la rumeur propre aux lieux de formation en plein milieu d'une période de cours. Des voix magistrales me parviennent assourdies, mêlées à d'autres sons sans doute attribuables à la préparation d'un atelier pour le prochain cours. Un prof a dû faire une bonne blague, car j'entends la réaction hilare d'un groupe, aussitôt apaisée.

Le bureau d'Esther se trouve à droite au mitan du corridor. Sur la porte fermée, son horaire glissé dans une pochette en plastique est collé à la hauteur du regard. Ce document m'indique qu'elle n'a pas cours à cette heure-ci, ce qui n'a pas pour effet de la rendre plus accessible, puisque je ne reçois aucune réponse aux trois percussions dont j'éprouve le pertuis.

La déception doit se peindre en jaune sur mon visage. Me reste plus qu'à inscrire «pas là» sur ma démarche inutile et à me retirer. En passant, voir la salle à café, au rez-de-chaussée, si je n'y trouverais pas l'absente.

En me retournant, je tombe face à face avec elle et je sursaute. Ma présence sur le pas de sa porte l'estomaque elle aussi, si vous m'autorisez cette conjugaison peu usitée. Cela se voit au mouvement de recul qu'elle a en me reconnaissant.

«Pinson! Qu'est-ce que tu fais là?

— Salut, Esther...»

Elle me précède dans son bureau, un tout petit espace où logent à peine une table de travail de dimension modeste surmontée d'un écran d'ordinateur et d'un téléphone, ainsi que deux chaises, l'une sur roulettes d'apparence confortable, l'autre en tiges de métal chromé qui encadrent un siège et un dossier recouverts de cuirette avant d'aller former les pattes rigides. Ayant fermé la porte qui bouffe un espace précieux, elle se dirige vers la cathèdre et me désigne le strapontin.

Je remarque qu'elle a un peu grossi depuis le temps et que ses pommettes, jadis anguleuses, se sont légèrement rembourrées. Je me fais le constat que ça lui va mieux ainsi; elle a l'air de se porter à merveille et sa beauté s'est affinée d'un éclat que je ne lui connaissais pas.

Bon, je suis le survenant, c'est à moi d'amorcer l'échange. Il y a une distance palpable entre nous et il va falloir y mettre un soupçon de lubrifiant. J'y vais d'un «Comment ça va?» que je veux chaleureux, trop, probablement. Mais elle est de bonne volonté et elle joue le jeu. Au fond, nous n'avons qu'un minimum à nous dire, mais, en personnes polies, nous arrivons à meubler convenablement la conversation. J'apprends qu'elle a un copain sérieux, ce qui me disculpe et ramène de la chaleur dans le bureau. C'est vrai qu'elle a un nouveau charme, celui de l'amoureuse. Mais il me tarde bientôt d'aborder le vif du sujet.

«Écoute un peu ça. Tu te doutes certainement que je ne me trouve pas ici uniquement par hasard. J'aurais besoin de retrouver une certaine Candy qui pourrait avoir fait ses études récemment dans ton département. Il n'est pas impossible que je sois complètement à côté des rails, mais certains événements me forcent à vérifier toutes les avenues possibles. Qu'en penses-tu?

— Candy... ce n'est pas un prénom très courant. À ma connaissance, depuis que j'enseigne, il n'y en a eu qu'une dans le programme. Jalbert, qu'elle s'appelle. C'est son nom de famille. Et elle écrit son prénom avec un "e" : C-a-n-d-i-e. Je m'en souviens parce qu'elle était assez chatouilleuse là-dessus. Elle tenait aussi farouchement à ce qu'on prononce son nom à la française. Elle a terminé l'an dernier.

— Bonne élève?

— Excellente. Parmi les meilleurs de sa promotion. Elle a même raflé quelques prix et bourses en raison de son rendement scolaire. Elle a fait des pas de géant pendant son cours. En arrivant, elle avait un de ces accents à décourager les profs de diction. Elle roulait les "r" comme ce n'est pas permis, si je me souviens bien. Mais elle a complètement réglé ses problèmes d'élocution en peu de temps.

— Montréalaise?

— Oui, sans aucun doute, ou sa région. J'ai cru savoir qu'elle était retournée par chez elle avec son diplôme. Elle a certainement de l'avenir dans le métier, à la radio principalement.

— Et à la télé?

— Beaucoup de possibilités là aussi, mais son physique ne l'avantage pas. Ce n'est pas qu'elle soit laide, au contraire. Mais les critères sont élevés dans les entreprises de télédiffusion et elle ne crève pas l'écran. Des yeux petits, une bouche naturellement peu souriante, un air comme trop sérieux. Pas assez pétillante. En plus, elle est courtaude. Le problème, remarque, c'est à l'embauche initiale. Si elle se fait connaître, ce qui pourrait bien arriver avec sa compétence, ce sera une toute autre affaire. Quand tu as fait tes preuves, l'apparence importe beaucoup moins.

— Je sais, Esther, que tu ne peux me donner son adresse. Mais est-ce que ce serait trop demander de me dire de quelle ville elle vient au juste? Ce devrait être dans la Montérégie, si mes hypothèses s'avèrent exactes. »

Elle hésite un instant, se demandant sans doute jusqu'où elle peut aller sans encourir d'éventuels problèmes. Elle porte finalement la main vers la souris de l'ordinateur. L'écran de veille où nageaient des poissons aussi multicolores que tropicaux disparaît pour laisser place à une fenêtre grise chargée des caractères noirs de ce qui semble une liste. Je vois tout cela de biais, l'écran étant placé en coin sur le côté droit de la table de travail. Mais il m'est impossible de lire les informations, à moins de m'avancer de telle manière que mon indiscrétion ne pourra passer inaperçue.

Elle saisit quelques touches et la fenêtre clignote avant de laisser apparaître en son centre une bande surlignée en bleu foncé. Un clic de souris et un nouvel écran se superpose au premier. Je suppose que cet affichage contient les données sociales consignées au dossier de Candie Jalbert. Vraiment, je suis hanté par le désir de lire ce qui y est écrit. Être si proche du but et ne pouvoir l'atteindre, c'est quand même trop frustrant.

« Brossard!

— Tu ne peux m'en dire plus, bien entendu?

— Non!

— Alors, je te fais une proposition. Je te donne un numéro de téléphone et tu me dis seulement si c'est le même que celui qui apparaît au dossier. Je ne te demande pas d'informations, juste de confirmer celle que j'ai. Et tu réponds par oui ou par non.

— ... »

Je prends son silence pour un demi-acquiescement, ce qui me suffit, et je lui dicte le numéro. Le temps de vérifier, elle me répond :

« Je ne peux rien dire. »

Banco! Elle a eu malgré elle un petit sourire furtif. Si j'étais dans le champ de blé d'Inde, elle n'aurait pas tergiversé, elle aurait répondu. Je conclus donc de la seule façon possible : la réponse est oui. Je n'ai pas eu le temps de feuilleter le journal ce matin, mais je suis sûr que mon horoscope est encourageant. Il ne faudrait surtout pas que Junie entende mes pensées. Elle ne comprendrait certainement pas que je puisse imaginer des choses semblables alors que je m'affiche comme le plus grand mécréant de l'humanité lorsqu'il s'agit d'ésotérisme.

Le cours est terminé, à l'extérieur; depuis un moment, une forte rumeur habite le corridor, faite de conversations entremêlées et de bruits de pas.

Par-dessus ce brouhaha, un son s'impose tout à coup avec vigueur : on vient de frapper à la porte. Se peut-il que le ciel me soit à nouveau secourable? En s'excusant, Esther se lève pour aller répondre. Un élève est là qui demande des explications relatives à la préparation d'un devoir. Je les entends discuter en sourdine.

Moi, je fais mine de m'intéresser vivement à un tout petit bibelot posé sur le coin de la table, un scarabée de métal brillant dont les ailes s'écartent lorsqu'on pince les antennes et révèlent une montre numérique. Pour l'observer de plus près, je dois me pencher de côté et j'en profite pour jeter un œil vers l'écran. L'adresse est là, immanquable : boulevard Milan. Je m'empresse de noter mentale-ment le numéro civique et je reprends ma position initiale alors qu'Esther me tourne toujours le dos. Elle me revient quelques secondes plus tard.

«J'ai un cours dans dix minutes, et je ne pense pas pouvoir t'aider davantage. Alors...

— Juste un petit service encore. As-tu un navigateur Internet sur ton poste?

— Oui, bien sûr!

— Pourrais-tu aller au site qui accède à l'annuaire téléphonique? 411.ca, je crois.

— C'est ça. J'y suis.

— Clique sur le bouton marqué *Reverse lookup*. Y avait pas de français sur ce portail-là la dernière fois que j'y suis allé.

— C'est fait. Redis-moi le numéro... Recherche... Aucune information disponible.

— Tant pis! C'est sans doute un numéro confidentiel.

— Ou discontinué.

— Impossible. J'ai appelé tantôt et je suis tombé sur un répondeur.»

En réalité, en vérifiant sur Internet, je ne voulais que me départir de ma mauvaise conscience, puisque j'ai déjà le renseignement. Mais c'est raté. Je devrai assumer ma tricherie. Il s'agit maintenant d'éviter de mettre Esther dans l'embarras. Elle ne me pardonnerait certainement pas de compromettre sa réputation d'intégrité professionnelle. Ni non plus d'avoir profité de son inattention pour lui voler des informations confidentielles.

«Merci beaucoup pour ta patience et ta collaboration. À un de ces jours.

— Au plaisir!»

Je quitte à travers la bruyante circulation du corridor et le vacarme d'un marteau pneumatique qui a entrepris de gruger le terrazzo du hall d'entrée dans un brouillard gris et malodorant.

À peine dehors, j'essaie à nouveau de joindre Brossard grâce au cellulaire. Même absence de réponse, même message du répondeur. Ma décision est prise, je vais mettre en œuvre les moyens qu'il faut pour en avoir le cœur net.

Je me dirige vers l'édifice principal dans lequel j'entre par un accès arrière qu'empruntent la majorité des étudiants. Il me reste une démarche délicate à effectuer avant de reprendre la route. Je fais près d'un demi-kilomètre sur le même niveau que l'entrée, sauf un plan incliné que je gravis et qui fait environ la moitié d'un étage.

Tout ça pour me retrouver dans le secteur de l'administration, au service des ressources humaines où travaille Junie comme adjointe au directeur. Ce matin, lorsque j'ai quitté la maison soi-disant pour aller au boulot, elle n'était pas encore levée et je n'ai pas eu l'occasion de lui dire un seul mot. Et, avec l'idée que j'ai en tête, j'ai bien peur de ne pas lui parler non plus ce soir. Il faut quand même que je lui donne un minimum de prétextes, sinon d'explications.

Lorsque je m'encadre dans la porte du service, elle est légèrement penchée sur un tiroir de classeur à chercher dans un dossier. Je ne me manifeste pas et profite d'un moment où je passe inaperçu pour l'observer. Je n'ai jamais l'occasion de la voir au travail et c'est comme si je découvrais une Junie inconnue, avec un nouveau pouvoir de séduction. Elle m'émeut avec son air affairé, ses

gestes vifs et précis et les interrogations successives qui passent sur ses traits comme des ombres
à la surface de l'eau en lui donnant un pli au front
intermittent. Elle est incontestablement la reine de
ce lieu, dans son tailleur de rayonne vert foncé
agrémenté d'une fine rayure plus pâle, dont la
jupe laisse voir ses jambes fines et nerveuses.
Toute sa personne sécrète un halo de spontanéité
et d'authenticité qui l'enveloppe, la rendant tout à
la fois fragile et énergique.

Je connais bien sa philosophie de gestion et je
l'endosse d'emblée. En plus, le tableau qu'elle
offre au regard est incontestablement d'un grand
maître. Je ne crains pas de supposer qu'on prend
parfois rendez-vous avec elle, porteur d'un problème qui n'en mérite pas tant, pour le seul plaisir
de lui parler et de la voir, de lui arracher peut-être
un sourire ou un geste innocent d'affection. Les
poils m'en frisent lorsque j'y pense.

Voilà donc le portrait de pied en cap de ma
brune, dressé par quelqu'un d'indiscutablement
objectif. Si jamais elle pose sa candidature sur un
poste dans votre entreprise, vous comprendrez
que je vous la recommande chaudement.

« Madame Bergeron, vous avez de la visite. »

C'est l'une des secrétaires qui vient de
s'aviser de ma présence et qui en avertit Junie.
Celle-ci relève la tête et la surprise envahit sa physionomie.

« Hein ! C'est toi ! Tu n'es pas au travail ?

— Je me suis voté un congé, pendant que j'ai
l'autorité pour ce faire. Raison majeure. C'est pas

prévu à mon contrat, mais j'ai laissé ma paye de la journée en compensation.

— Viens vite, j'ai un rendez-vous dans quelques minutes.»

Nous allons dans son bureau, qui lui ressemble, je trouve : petit mais superbe. Décoré avec goût et mesure. Deux aquarelles aux tons pastel accrochés aux murs, quelques bibelots, jolis mais sans prétention, sur la table et sur une bibliothèque adossée au mur. Un bureau de femme, oui, mais pas bébelle comme j'en vois trop souvent. Et son parfum qui flotte dans l'air, ténu mais capiteux. Nous restons debout, sachant que le temps nous est compté.

«Tu n'es pas entré au travail, donc. Quelque chose de grave?

— Extrêmement.

— Et tu ne peux toujours rien dire?

— On m'a tiré dessus, hier.

— Qu'est-ce que tu veux dire par tirer?

— Tiré! Tiré! Avec un fusil. Et même des fusils.

— Tu te moques de moi!

— Et on a voulu me flanquer une raclée. Aussi vrai que je suis là.

— Là, tu me fais peur. Mais qu'est-ce que c'est que ce cirque?

— Je n'en sais rien, ou très peu encore. Je crois que c'est Stéphane qui était visé.

— Le livreur qui s'est décommandé.

— Oui. Lui, il a disparu. Plus moyen de le retrouver. Et la voiture est promise à la réparation pour plus d'une semaine.

— Mais c'est incroyable. Et dangereux. Ça concerne la police!

— Sauf qu'il y a un empêchement de ce côté. J'peux pas en dire plus. »

Son expression reflète l'inquiétude et le désarroi. Je souris pour tâcher de la rassurer, mais je n'obtiens qu'un résultat relatif.

« Je pars pour Montréal à l'instant. Je ne serai pas là ce soir encore. En tout cas, j'arriverai tard.

— Mais je vais devenir folle, toute seule, à me demander ce qui t'arrive.

— Tu pourrais aller chez ta mère.

— Non. J'aime mieux t'attendre.

— De toute façon, je crois que le plus risqué est passé. Il y a eu erreur sur la personne; ce serait surprenant qu'on s'en prenne de nouveau à moi. Je demeure dans l'ombre, tu penses. Je ne tiens pas à me mettre au blanc pour la prochaine salve. C'est pour Stéphane que je m'inquiète. Je cherche sa trace. »

Elle a des larmes au coin des yeux. Décidément, je lui fais beaucoup de peine de ce temps-ci. Et elle-même semble plus sensible dans le moment.

« Promis, dès que c'est fini, on se retrouve à temps complet pendant un jour ou deux. Et on reprend le temps perdu. On se racontera tout, toi comme moi. »

Cette allusion à ses propres secrets lui arrache un sourire triste.

« Fais attention, c'est important, encore plus que tu le crois. Moi, je ne risque rien. Du moins, je l'espère.

— Je l'espère aussi, mais je préfère que tu ne compte pas uniquement sur la chance. Tiens, je t'ai écrit la procédure pour mettre l'alarme de nuit. Mémorise-la et réduis le papier en poussière, vu qu'il n'est pas programmé pour s'autodétruire. Et n'oublie pas d'armer le système.»

Je l'embrasse sur la joue avant de me retirer. En sortant, je me heurte presque à un beau grand jeune homme en veston-cravate, si bien parfumé à l'after-shave que ça doit se sentir depuis le grand lac Mistassini, par vent d'est. C'est son prochain rendez-vous, et il m'est tout de suite antipathique, ce bellâtre. C'est sûr qu'il va aller lui faire du charme, déployer tous ses canons pour tâcher de l'embobiner et détourner ses sentiments à mon égard. À l'âge des cavernes, je n'aurais pas fait mystère de ma réprobation. Je lui aurais donné du gourdin.

Chapitre 12

Candie

Naître, vivre et mourir dans une mégapole, c'est la tristesse. Voilà le sentiment qui m'assaille toujours passé Drummondville, alors que pourtant la température se réchauffe sensiblement et que le climat devrait me gonfler d'optimisme. Je me sens rapetisser, à mesure que la circulation augmente et que je m'enfonce dans un anonymat de plus en plus profond, au milieu de toutes ces solitudes enfermées dans leurs véhicules étanches et climatisés qui promènent l'hébétude des gens habitués à passer sur la route une proportion quantifiable de leur existence. Un monde sans sourire, exclusivement fonctionnel, blasé, recru de fatigue, où la déférence et la cordialité ne sont le fruit que de la méfiance plutôt que celui de l'affection spontanée pour son semblable.

Il y a aussi le ciel qui change, qui devient plus roux que bleu et qui fait planer comme une menace permanente sur cet univers machinal; les pros de la météo nous parlent de smog deux ou trois fois par année; tous les marginaux qui habitent loin savent bien que c'est là un phénomène ordinaire dans la métropole, un état qui pèse sur l'humeur quotidiennement avec des variations d'intensité; le seul répit que laisse ce voile survient après une importante tempête de neige, alors que les gens ne prêtent aucune attention à la qualité de l'air provisoirement filtré, trop occupés qu'ils sont à dégager leur voiture pour vite reprendre la route et remettre de l'ordre dans l'atmosphère.

Fourmis que nous sommes! Nous croyons contrôler notre environnement. En réalité, c'est notre environnement qui nous conditionne et qui se rend indispensable de cette façon. Sortir quelqu'un de son monde, fût-il empoisonné, c'est comme épouiller un habitué des parasites, c'est risquer de le tuer. L'homme ne peut pas vivre sans ses références, y compris les plus douteuses. Mieux vaut la merde que l'incertitude, l'imprévu, le méconnu. On ne fait pas plus un citadin d'un campagnard que l'inverse. Et tous ceux qui suivent un mouvement migratoire plus ou moins ponctuel paient forcément un lourd tribut pour se conformer à la mode.

Moi, j'ai assez payé déjà pour m'installer dans une toute petite ville. Je n'irai pas plus loin dans la compromission. Et je ne suis pas encore arrivé à destination que j'ai hâte de faire demi-tour pour aller retrouver mes maringouins, mes ours, mon printemps tardif et mes gelées de juin, toutes ces choses qui m'accompagnent davantage que la promiscuité indifférente, lorsqu'elle n'est pas hostile, des villes populeuses.

Le boulevard baptisé Milan en est un farouchement urbain. Double voie, mais parsemé d'arrêts obligatoires qui te forcent à la progression de l'escargot. De chaque côté, des blocs d'appartements proprets, construits à distance raisonnable de la voie de circulation et qui annoncent une modeste aisance. La circulation est constante, mais pas trop dense tout de même. Dans pas longtemps, j'en suis persuadé, des nuées d'enfants et d'adolescents libérés par les écoles envahiront les trottoirs et les pelouses, avec des cris et des éclats de voix qui couvriront le grondement des moteurs.

Je repère rapidement le numéro civique recherché. Il identifie une construction de quatre étages revêtue de briques beiges, ce qui ne vous fournit, chers lecteurs, qu'un minimum d'indications, vu qu'à peu près tous les édifices du coin sont de même teinte. Faudrait tout de même pas que mes fans, excités par la vivacité de mon récit, aillent faire des misères à mes personnages si hauts en couleurs.

Après avoir déniché un stationnement dans une rue adjacente, je pénètre dans le hall d'entrée. Je m'en doutais : celui-ci est à sécurité maximum, avec une seconde porte qui ne se déverrouille que par la bonne volonté de l'un des résidants et sans doute le bruit caractéristique d'une serrure à électroaimant.

Sur le côté gauche de cet espace réduit, le mur supporte une vingtaine de boîtes aux lettres de métal brillant disposées en matrice. J'en fais du regard un inventaire rapide pour constater qu'aucune Ginette ne figure parmi les noms inscrits sur la devanture de chaque niche. Pourtant, l'une m'intéresse. Elle n'est identifiée que par un seul nom :

Jalbert. Appartement 304, comme la Peugeot. Juste à côté des boîtes aux lettres se trouve un combiné de téléphone accroché à son support-commutateur qui cache partiellement un clavier numérique. Le mode d'emploi est affiché au dessus : il suffit de composer le numéro de l'appartement, ce à quoi je procède sans délai. L'écouteur me renvoie une sonnerie assez semblable à celle du téléphone, en plus aigrelet. Je laisse passer six coups. Pas de réponse.

Là, je suis bien avancé. Je viens de me taper quatre heures et demie de route sans prendre le temps de manger une croûte, sans la moindre halte, pour me river le nez à cet appartement vide, que je ne puis même pas approcher en plus. Je ne vais quand même pas retourner sans insister. Au besoin, j'attendrai que les locataires du 304 se manifestent. Ils ne sont quand même pas très loin, puisque Candie m'a téléphoné lundi. Ils finiront bien par revenir !

Quatorze heures trente. Je décide de sortir à l'extérieur pour me dégourdir un peu les jambes sur le trottoir, sans quitter des yeux la porte d'entrée de l'édifice à logements qui justifie ma présence ici. Le vent souffle de l'est et le ciel commence à se couvrir d'un film de nuages caractéristique de l'approche d'une dépression. Je vais sans doute devoir retourner dans des conditions météo difficiles. Un quart d'heure plus tard, je n'ai vu entrer personne dans l'édifice à appartements, mais deux hommes en sont sortis l'un après l'autre pour se diriger vers le stationnement.

Il me vient tout à coup une idée. Je me rapproche à nouveau du hall d'entrée, juste assez pour voir à travers les deux portes vitrées les mouvements qui pourraient avoir lieu dans le corridor qui s'étire au-delà.

Mon attente est bientôt récompensée, puisque j'y vois venir une dame âgée. En synchronisant bien mes mouvements avec la lenteur de sa démarche, je me compose mon visage le plus avenant et je franchis la première porte au moment même où la dame ouvre la seconde en sens inverse. J'ai à la main mon trousseau de clés, une collection impressionnante de sésames qui pourrait servir d'enseigne à un serrurier, dans laquelle je fais mine de chercher fébrilement le bon outil pour entrer. J'ai vraiment l'air d'habiter les lieux lorsque je lève les yeux sur la vieille en me parant d'un irrésistible sourire et en déclarant :

« Ah ! Charmante madame ! Comme c'est à point que vous survenez ! Vous allez m'éviter d'essayer toutes ces clés avant de trouver la bonne. Étant nouveau, je n'arrive pas encore à la reconnaître. »

Et, d'autorité, j'attrape la porte par le montant et la tiens ouverte poliment, alors que ma salvatrice découvre gentiment ses dents usées à mon intention et poursuit son chemin de son pas lent et précautionneux.

Me voilà donc dans la place. En suis-je plus avancé ? C'est à voir. Je décide d'ignorer l'ascenseur qui me propose ses portes ouvertes à la demie du corridor, poursuivant jusqu'à l'autre bout pour dénicher derrière une lourde porte retenue par son amortisseur une cage d'escalier dont l'aspect austère contraste avec les murs propres et de finition plutôt soignée que je viens de longer. Les marches sont en métal recouvert de minium brun roux et, dès que j'y mets le pied, elles résonnent d'une note profonde comme celle d'un glas dans ce tambour clos qui amplifie le moindre bruit.

Machinalement, ma progression se fait circonspecte alors que je gravis les deux étages. Malgré moi, je me sens en ces lieux comme le passager clandestin d'un navire, même s'il est improbable que quiconque s'intéresse à ma personne; qu'un seul des locataires connaisse tous les autres, même dans mon patelin, serait à exclure; à plus forte raison dans cette grande ville où l'indifférence constitue le principal pilier des rapports sociaux. C'est toujours ainsi : plus tu concentres une population, plus la vie privée devient précieuse et plus la discrétion s'impose comme condition de survie.

L'appartement 304, pour autant que je puisse en juger depuis le corridor, occupe le coin sud-ouest de l'édifice, de sorte qu'il doit comporter deux faces dont les fenêtres donnent sur le boulevard Taschereau. Je me fais la réflexion qu'on y voit sans doute la haute armature du pont Champlain. Il s'agit de l'un des logis les plus chers du complexe, très certainement, ce qui me laisse à penser que la famille de Candie jouit d'une situation financière relativement confortable. L'étage est d'ailleurs plus luxueux que le rez-de-chaussée. Une moquette fleurie où domine le vert recouvre le sol du corridor et l'on y entend une pièce musicale et vocale tirée du spectacle *Don Juan*.

Bien entendu, j'ai beau frapper à plusieurs reprises à la porte de l'unité de logement, je ne reçois aucune réponse. C'est sans plus de succès que je m'enhardis à tâter la poignée.

Et alors! Qu'est-ce que j'espérais? Qu'une fois le hall franchi je ne rencontrerais plus aucun obstacle et qu'on aurait tout fait pour me faciliter l'accès sans effraction? Justement, parlant d'effraction, si je choisis cette solution, il va me falloir une charge de plastic, pour le moins. La porte, je m'en rends compte tout à coup, est équipée contre les assauts. Et au maximum. En plus de la poignée où s'intègre un noyau mobile fendu d'un chemin de clé, il y a deux autres serrures au-dessus. Tous ces dispositifs sont installés sur une forte plaque d'inox qui sert de renfort au battant, alors qu'une autre du même métal est intégrée au chambranle pour recevoir les trois pênes et leur assurer des gâches solides.

Contraindre ce blindage ne saurait être envisagé. Cela demanderait trop de temps, en plus d'occasionner un boucan qui ne manquerait pas d'alerter tout le bloc. Ceci en supposant qu'il me vienne à l'idée de forcer le bastion, ce qui n'est pas le cas, onques ne le sera. Le rôle d'Arsène Lupin ne me séduit guère. C'est sûr, mon coefficient de respect pour le bien d'autrui s'est gravement détérioré depuis deux jours. C'est fou l'effet que quelques coups de fusil peuvent avoir sur le code d'éthique lorsqu'ils vous sont destinés. Mais je n'en suis pas pour autant rendu à me livrer au pillage dans l'antre de citoyens que, pour le moment, je n'ai pas le choix de considérer comme honnêtes. Il y a sûrement d'autres ruses à ma disposition immédiate. Placé devant une porte ouverte ou très très mal protégée, je me serais peut-être autorisé une intrusion. De là à casser les murs...

À quelques mètres sur la droite, une autre porte donne accès à l'appartement voisin. J'y suis en deux enjambées, pour constater de prime abord qu'elle arbore le numéro 306 et qu'elle ne comporte aucune des défenses de l'autre. Une seule serrure qui apparaît au centre de la poignée. Sans doute l'installation de base uniforme dans l'ensemble de l'édifice.

C'est donc de propos délibéré que la famille de Candie se retranche dans un bunker. A-t-elle quelque chose à craindre? Je suis tout disposé à le croire quand j'évoque la précipitation avec laquelle Stéphane s'est évanoui dans la nature après sa rencontre de lundi au lave-auto. Mais quels sont les rapports entre Stéphane, une certaine Ginette et la petite Jalbert? Je n'arrive pas à formuler une hypothèse plausible à ce sujet, mais je compte découvrir la vérité sous peu. N'est-ce pas la principale raison de ma présence en Montérégie?

Coupant court à mes réflexions, je frappe trois coups au nouveau battant devant lequel je me trouve. Je sens tout de suite des mouvements furtifs de l'autre côté. D'abord, l'interprétation musicale en cours s'interrompt et je réalise que ce que j'avais pris pour un fond sonore destiné à mettre de l'ambiance sur l'étage provenait en fait de cet appartement 306. Des pas feutrés se rapprochent, pendant que la lumière qui filtre sous la porte prend vie et se répartit en stries parallèles qui font un spectre mouvant où sont représentés tous les tons de gris. Je sens bientôt qu'on m'examine par le judas optique dont je vois l'œil unique à la hauteur des deux miens; je me recule un peu pour mieux permettre à l'autre d'apprécier ma gueule rassurante.

Je dois avoir réussi l'examen puisque la porte s'ouvre enfin de quelques centimètres; dans la fente apparaît le cinquième d'un visage féminin qui semble avoir été exposé pour la première fois à l'air libre il y a une cinquantaine d'années, ce qui explique les quelques rides qui s'irradient depuis le seul globe oculaire qu'il m'est donné de contempler et qui lui fait un regard borgne.

Nouvelle observation, nouvelle note de passage : la porte se referme sans qu'un mot ait été dit. Un bruit de chaîne de sécurité confondu à celui d'une glissière métallique et le battant pivote à nouveau sur ses pentures, largement, cette fois. Je suis toujours ébahi de voir à quel point on craint pour ses fesses dans les endroits populeux. Tous ces dispositifs de sécurité rencontrés depuis que j'ai quitté le trottoir, c'est inouï. Il m'eût été plus facile d'avoir accès au coffret de sécurité d'un étranger que de rencontrer enfin la douce personne qui s'est encadrée dans l'ouverture sans se départir de son air hostile. Mon sourire affable ne la dégèle en aucune façon.

« C'est pourquoi? »

Elle a bien deux yeux, ce qui est déjà rassurant en soi. Ils sont noirs tous les deux, très noirs. C'est bien aussi une femme autour de la cinquantaine, sans doute svelte il y a peu, mais que les rotondités rattrapent aussi vite que le temps. Elle est assez grande malgré ses pantoufles sans talon et elle porte une robe d'intérieur exotique qui va presque jusqu'à terre, sans excès d'élégance, pourtant; une sorte de chasuble des dimanches ordinaires. La peau de son visage et de ses bras est foncée, bistre même, rappelant celle des ressortissants hindous; à bien y regarder, ses traits confirment cette impression; le métissage ne remonte pas à un tas de générations.

Avant de répondre à sa question, je ne puis m'empêcher de chercher des qualificatifs à son ton de voix. C'est cassé, même en plusieurs endroits, c'est presque rien qu'un souffle qui semble toujours en passe de s'éteindre totalement. C'est haut comme d'une soprano, ce qui ne signifie pas que vous seriez tenté de lui confier le solo du *Minuit, Chrétiens* à la messe de Noël. Ça grésille plutôt, ainsi que votre radio à ondes courtes lorsque le signal se présente tout croche à la réception. Cette voix semble triste même lorsqu'elle rit, j'ai l'impression. Elle fait pleurnichard et aussi carence en énergie.

Y a-t-il un truc pour faire sourire cette ancienne houri, désamorcer sa méfiance jusqu'à lui arracher quelques confidences? Elle n'a pas l'air commode, à première vue, avec sa bouche en trait de crayon,

son nez légèrement épaté et ses arcades sourci-
lières en accent circonflexe. A-t-elle fait vœu de
mauvaise humeur, comme le chef de l'opposition
à l'Assemblée nationale ou les leaders syndicaux,
dont la profession est la culture de l'insatisfaction
et dont la méthode est de ne jamais montrer les
dents, sauf pour mordre? Comme ces jeux de
rôles ne m'impressionnent guère, je n'en tiens
aucun compte et je fonce dans un petit discours
que je n'ai pas le choix d'improviser à mesure.

«Bonjour, madame. J'habite à l'étage au-
dessous. Depuis quelque temps, il m'arrive du
courrier qui devrait être acheminé à l'appartement
304, voisin du vôtre. Probablement un nouveau
facteur mal habitué à ces sortes de boîtes postales!
J'ai passé à plusieurs reprises ces derniers jours,
mais je n'ai jamais de réponse. Peut-être pouvez-
vous me fournir quelques indications quant aux
allées et venues des locataires?»

Contre toute attente, le visage de mon interlocutrice s'adoucit sur-le-champ. Ce n'est pas
encore le sourire, mais les traits se font infiniment
moins rébarbatifs alors qu'elle me dit avec un
bruit de friture:

«Il m'est arrivé la même chose il y a quelque
temps. Heureusement, je ne suis pas courrier. Je
préfère Internet pour communiquer avec mes
proches ou payer mes factures. Une partie des
lettres qui m'étaient adressées se retrouvait au
quatrième et je devais courir après. Ça n'a duré
qu'une quinzaine.»

Elle a dit cela comme pour me rassurer. Elle a

donc mordu à pleines dents dans mon histoire, que je n'étais pas loin de trouver invraisemblable. Ça augure bien pour la suite des choses. Surtout que, sous ses dehors carrément inamicaux, cette chère personne semble détentrice d'une grande disponibilité pour la conversation.

« Est-ce que vous connaissez vos voisins?

— Assez peu. Je ne les fréquente pas. Je ne suis pas voisin, moi. Il y a une dame et sa fille. Elles se nomment Jalbert, mais je n'ai aucune idée de leur prénom.

— Vous êtes certaine que la dame est également une Jalbert?

— Pas certaine. C'est ce que j'ai cru comprendre. La fille porte le nom de sa mère, d'après ce que j'ai pu déduire. Je ne sais si elle a un père connu, je n'ai jamais vu d'hommes entrer ou sortir de cet appartement, depuis dix ans que j'habite ici. Sauf le garçon qui vient quelquefois, de moins en moins souvent, et c'est mieux ainsi. Dans le temps, il m'est arrivé d'entendre une voix d'homme à travers le mur qui sépare les deux logements. C'était toujours tard le soir, même plutôt en pleine nuit. Cela ne s'est pas produit depuis très longtemps, maintenant. Et comme je ne suis pas voisin, je ne cherche pas à en savoir davantage. »

La voix aigrelette se tait pendant que je réfléchis. Puis-je me permettre des indiscrétions supplémentaires et demander des précisions sans devenir suspect? Je décide de garder pour la fin mes questions les plus inopportunes.

« Savez-vous où travaillent la mère et la fille?

204

— Pour la mère, je n'en sais rien, crépite la voix dans un accès parasitaire. Peut-être comme vendeuse; je la vois quelquefois revenir tard les jeudis et vendredis. Elle a souvent à son retour un sac identifié à une chaîne de boutiques. Je ne me souviens plus laquelle. Faut dire que je ne suis pas boutique. Les grandes surfaces me suffisent. La fille, c'est différent, elle est assez connue depuis qu'elle est speakerine dans une station de radio. Son prénom finit par "i", il sonne anglais. Elle a fait des études dans une région, assez loin, et elle est revenue en mai dernier.

— Je pourrais donc la joindre assez facilement. Vous connaissez cette station?

— Bien sûr! Elle s'appelle CFAX-FM. Pour l'indicatif, je l'ignore, mais cela vous importe peu, sans doute. C'est une radio communautaire, qui a toutefois une cote d'écoute assez considérable pour ce genre de station, vu qu'elle s'intéresse aux nouveaux artistes en émergence.

— Vous ne la syntonisez pas souvent, à ce que je vois», dis-je avec une mimique taquine, histoire de m'assurer du niveau de mon crédit auprès de la femme au verbe chuintant.

Elle a un sourire mince. Il s'agit probablement là du maximum que lui autorise la rigidité congénitale de ses lèvres.

«Oh! Vous savez, je n'ai jamais été très radio. Et je ne suis pas trop nouvelle musique non plus. Je n'ai plus beaucoup le goût de découvrir les fantaisies de la dernière heure. Ayant dépassé la vingtaine depuis un certain temps, ma vie est sédentaire, de sorte que la mode actuelle me laisse assez indifférente. Quand j'écoute la radio, je me contente de celle qui fait dans le traditionnel, même un peu rétro. Car je suis très rétro.»

Je crois que je peux y aller de ma question indiscrète, maintenant que je sais l'essentiel et que cette chère âme, beaucoup telle chose, pas beaucoup telle autre, semble bien disposée à mon égard.

«Vous avez semblé dire tantôt que le garçon n'était pas le bienvenu ici. Il n'habite pas avec sa mère?

— Impossible de savoir. Je ne suis pas écoute aux portes, ni trous de serrures. Il y a quelques années, il y vivait certainement. Comme je vous l'ai dit, on ne le voit plus souvent, maintenant. La dernière fois, il avait une crête de cheveux verts sur le milieu du crâne et il semblait assez égarouillé. Chaque fois qu'il vient, le ton monte dans le logement d'à côté. On entend des discussions à n'en plus finir, des menaces et des jurons, et il ne repart jamais qu'en claquant les portes. Je ne serais pas surprise qu'il se livre à du chantage ou à de l'extorsion. Je ne veux pas affirmer qu'il est dans la drogue, mais il en a tout l'air. Mais je ne suis pas médisance; encore moins calomnie. Le gars, c'est tout le contraire de sa sœur qui est toujours très douce et très polie. Et elle parle très bien avec ça, elle se distingue des autres, tant par sa personnalité que par sa diction. Je me suis laissé dire qu'elle avait un brillant avenir dans son métier.

— Je vais communiquer avec elle.»

Sans la couper, j'ai profité d'une pause dans son discours pour intervenir. Je crois qu'elle a pris goût à la conversation et qu'elle est disposée à disserter de longues minutes sur sa lancée, quitte à se répéter un peu au besoin. En insistant, je pourrais probablement arriver à entrer chez elle pour y prendre l'apéro. Certes, je lui suis très reconnaissant des indications qu'elle m'a données, mais je ne puis malheureusement pas m'attarder, justement en raison des nouveaux renseignements dont je dispose.

«Madame, je suis un peu pressé et je dois y aller. Je vous remercie beaucoup de votre obligeance. À une prochaine, peut-être...

— Bonne journée!» réplique-t-elle comme à regret, de son timbre plaintif de cornemuse essoufflée.

Et je me sauve en me faisant violence pour ne pas courir, ne pas avoir l'air de m'enfuir avec la caisse. Le bruit de mes pas dans l'escalier ne me dérange pas, cette fois, et je le dégringole quatre à quatre. Il me faut brûler les feux rouges, si je veux attraper Candie à son travail alors que l'heure avance. J'espère qu'elle ne termine pas avant dix-sept heures.

Ayant réintégré ma voiture, je reviens sur mon chemin jusqu'à une station service où j'ai fait le plein en arrivant. Il y a là une cabine téléphonique; l'annuaire me fournit rapidement l'adresse de CFAX-FM et je fais le constat que ce n'est pas à côté. Les studios de la station se trouvent dans l'est de l'île de Montréal, pas très loin du parc olympique.

Le plus rapide, selon ce que mon inexpérience de cette ville évalue, est d'emprunter le pont Jacques-Cartier. Pour m'y rendre, je choisis un itinéraire un peu plus long mais qui offre l'avantage d'emprunter une autoroute. À cette heure, l'accès à l'île est relativement facile, alors que le trafic s'alourdit dans la direction inverse. Il ne me faut guère plus de trois quarts d'heure pour atteindre la station radiophonique. Trouver un stationnement est un autre défi. Je finis par en dénicher un à près d'un kilomètre de mon objectif et il me faut toute ma petite monnaie pour convaincre le parcomètre de m'attendre une paire d'heures.

Le vieil édifice où sont logés les studios de la station est rien moins que polyvalent. Il se situe au milieu d'un quartier résidentiel et son destin premier n'était certainement pas d'abriter des entreprises commerciales. Il s'agit d'une construction carrée et massive dont les murs extérieurs sont recouverts de briques brunes, presque noires, où les intempéries et la pollution atmosphérique ont laissé des nuances plus pâles. Il comporte à la fois trois étages et trois entrées distinctes; celle la plus à l'est donne accès à un dépanneur qui occupe tout le rez-de-chaussée, alors que la porte du centre permet d'atteindre le premier étage dont l'espace se partage entre quatre appartements privés. Enfin, l'entrée la plus à l'ouest s'ouvre sur une cage d'escalier étroite où deux volées de marches s'élancent vers le deuxième.

Avant même de franchir la porte, je suis assailli par un air chaud et stagnant qui me fait suffoquer.

Au mur, un panneau noir supporte des caractères blancs qui identifient les huit entreprises dont les bureaux se trouvent en ces lieux. Il s'agit pour la plupart d'organismes bénévoles à vocation communautaire qui, forcément, d'après leur nombre, occupent des espaces restreints.

Cette déduction m'est confirmée dès que j'arrive en haut de l'escalier. La station CFAX-FM elle-même a toutes ses pénates, selon mon observation, dans deux pièces extrêmement exiguës.

La première sert à la fois de réception et de hall d'entrée; un petit bureau inoccupé encombre le coin qui fait face à la porte vitrée; quelques revues passées date sont éparpillées à sa surface; trois chaises droites inconfortables sont disposées de part et d'autre de ce meuble, alors qu'une patère me permet de me départir provisoirement de mon anorak. Des haut-parleurs invisibles diffusent une interprétation musicale qui m'est totalement inconnue. C'est une chanson rythmée qui parle d'oiseaux migrateurs. Sans doute s'agit-il de la programmation de la station.

La seconde pièce est séparée de la première par une porte pleine qui comporte cependant une lucarne rectangulaire étroite. J'y coule un œil pour découvrir un local aux trois quarts occupé par un grand bureau de travail brun, très vieux et très détérioré, mais qui ne pourra jamais espérer accéder au rang d'antiquité, vu sa facture anguleuse et essentiellement commerciale.

Tout dans cet antre fleure l'indigence, souvent le lot des stations de radio communautaires. Les autres éléments que je découvre contrastent pourtant avec le dénuement évident du mobilier. Plusieurs modules électroniques dernier cri s'empilent sur un coin du bureau, reliés entre eux par un inextricable spaghetti de fils blancs, noirs, jaunes et rouges dont certains se prolongent vers différents endroits inaccessibles à mon regard. Du plafond pendent deux gros microphones noirs au bout de bras métalliques articulés, l'un de chaque côté du vieux meuble. Au mur, une étagère pleine de disques digitaux bien rangés à la verticale. Il y a plusieurs CD aussi sur la table de travail, ainsi qu'un sous-main formant tablette dont on enlève les feuilles une à une après les avoir utilisées.

Mon attention est principalement attirée par la personne assise dans un fauteuil ergonomique, lequel trône comme un anachronisme derrière le bureau hideux. Cette jeune fille semble bien la seule employée actuellement présente dans le studio et je me donne un peu de temps pour l'observer, vu que c'est elle que je cherche à rencontrer et que c'est en fonction d'elle que j'ai entrepris ce périple dans la grande ville. Car, je n'en doute pas un instant, il s'agit de Candie.

Cette certitude, en fait, ne s'appuie sur rien et n'a pas la moindre raison. Ni la photo que j'ai en main ni la description que m'a faite Esther ne me permettent de la reconnaître. C'est davantage une affaire d'instinct.

La demoiselle fait plutôt trente ans que vingt. Elle a des traits réguliers et fins empreints d'une maturité certaine que soulignent des lèvres minces encadrant une bouche assez large, des joues sans pommettes où l'on devine que des trous se dessinent lorsqu'elle sourit, un front bombé sous lequel s'ouvrent des yeux petits qui s'illuminent d'un éclat vert profond, deux émeraudes enchâssées serré et pétillantes d'intelligence. Son nez est légèrement aquilin et un peu fort, tandis que l'ensemble de son visage laisse plutôt une impression d'étroitesse : en lame de couteau, pour utiliser l'expression consacrée, vu que je n'en ai pas d'autre sous la main.

Ce n'est pas une beauté, assurément. Pourtant, elle a du genre, et je pense en la voyant à une jument de race. Elle respire la volonté et la détermination et elle a l'air de savoir où elle va en toute circonstance. Juste à voir son expression, je l'imagine un peu féministe mais pas exagérément, un peu excentrique mais sans outrances, condescendante avec modération ; ce n'est pas le genre à qui on fait un plat compliment pour établir le contact, et je suis persuadé qu'elle sait répondre de façon cinglante aux tentatives de conversation insignifiantes.

Bien que le bureau me cache le plus clair de son anatomie, je devine une femme assez forte et musclée. Aucune trace d'embonpoint, pourtant. Je suis sûr qu'elle est sportive, s'astreignant à ses exercices avec une discipline de fer. Candie, ce n'est certainement pas la fille que l'on côtoie à l'école buissonnière. En revanche, elle serait tout à fait vraisemblable dans les Forces armées canadiennes ou dans un métier non traditionnel[31]. C'est drôle, je n'arrive pas à l'imaginer dans la truande, malgré les efforts que je déploie dans ce sens et les événements récents dont j'ai été la victime, lesquels me portent peu à me fier aux apparences.

Elle abandonne les disques qu'elle s'affairait à replacer, préférant tout à coup manipuler quelques commandes en façade des modules empilés devant elle. Au même moment, elle se met à parler devant son microphone et j'entends précisément sa voix reproduite par les haut-parleurs. Aucun doute possible. Je possède une oreille assez performante lorsqu'il s'agit de reconnaître les inflexions vocales et je puis vous assurer que ce timbre est bien celui de ma mystérieuse correspondante de lundi soir dernier. Chapeau, Pinson! Pour être un peu claudicante, ta démarche t'a tout de même mené quelque part. Tu as fini par faire du chemin.

Pendant que je la regarde débiter ses phrases bien structurées et infiniment mélodieuses, je tique aussi sur un autre détail. C'est une ressemblance familière diffuse qui envahit ses traits à

---

31. Les métiers non traditionnels : je n'aime pas cette expression qui ne dit pas ce qu'elle veut dire. Je n'ai pas besoin de vous le rappeler, elle veut exprimer la percée que font les femmes dans les champs d'activité traditionnellement réservés aux hommes. C'est évident, le syntagme ne permet pas de supposer ce sens si on ne connaît pas l'expression, et je suis d'avis pour cette raison qu'il est mal choisi. Mais je n'en ai pas d'autre qui soit homologué à vous proposer. Je suis bien obligé de faire avec le matériel disponible. Les mots, ça ne s'achète pas à la quincaillerie du coin.

quelques reprises, au fil des expressions qu'elle adopte; ou plutôt un air de famille subtil aussitôt estompé l'instant d'après. Et savez-vous à qui elle me fait penser? Mais oui. À Stéphane.

Vous l'aviez deviné! Je vais devoir réviser mes préjugés à votre endroit, si vous continuez à me fournir ainsi des preuves de votre perspicacité. Peut-être même laisser ce livre en plan, vous confier le soin de mener, chacun pour vous, l'intrigue à sa conclusion. Un jour, je vais vous concocter une surprise de ce gabarit. Dans un prochain polar. Tout à coup, au beau milieu d'une scène trépidante, plus rien. Même pas le mot fin. Point de suspension seulement. Vous aurez beau attendre, harceler votre libraire, vous n'obtiendrez jamais le tome suivant. Ce sera à vous de continuer. Le livre dont vous êtes le héraut. Tant pis si vous en êtes le zéro, vous aurez au moins soumis votre imagination à l'entraînement, vous qui paressez en comptant sur ma sueur pour vous procurer une saine détente.

Pour le moment, Candie a mis un terme à son baratin et une chanson s'élève dans la pièce, interprétée par une voix de femme d'une incroyable souplesse. Sans même me donner la peine de frapper, j'actionne le bec de cane et je pénètre dans la seconde pièce en déclarant, sur un ton à demi interrogatif seulement :

« Vous êtes bien madame Candie Jalbert? »

Elle a une brève expression de surprise avant de répondre :

« Oui, pourquoi? Il n'y a aucune entrevue de planifiée cet après-midi!

— C'est avec vous que je souhaite m'entretenir.

— Alors, faites vite. Comme vous voyez, j'ai du travail.»

Il fait chaud dans cet espace confiné bourré d'électronique. Un peu trop. Une odeur de circuit grillé flotte dans l'air, en même temps que celui d'un parfum à la lavande défraîchi et les inévitables relents des sécrétions corporelles. C'est inconfortable et vaguement écœurant, surtout que je n'ai rien avalé depuis mon croissant de ce matin qui se trouve présentement au même endroit que mon estomac, c'est-à-dire tout au fond de mes bottes, dans mes talons.

Comme Candie ne m'invite pas à m'asseoir, je m'autorise moi-même à ce faire, mettant ainsi à contribution la chaise ascétique qui lui fait face de l'autre côté du bureau. La désapprobation se lit sur son visage, mais je m'en moque. Elle devra, de gré ou de force, m'accorder un peu de son précieux temps. Je suis plus que jamais déterminé à ne pas lâcher le morceau et je ne vais pas capituler au premier regard hostile.

«Vous ne pouvez pas vous installer. Mon boulot exige de la concentration et je ne peux pas vous parler. Si vous souhaitez une entrevue, c'est là qu'il faut appeler. Nous prendrons rendez-vous.»

Elle me tend une carte d'affaires. Je feins d'ignorer son geste.

«Ce que j'ai à vous dire, ça ne peut attendre. J'arrive du Saguenay expressément pour vous rencontrer. Si vous le prenez positivement et que vous collaborez, nous gagnerons du temps tous les deux.

— Du Saguenay? Mais je ne vous connais pas!

— Pourtant, nous nous sommes parlés au téléphone. Pas plus tôt que lundi, vous m'avez appelé pour m'avertir que Stéphane Gauthier était chez sa mère malade à Drummondville. Pinson, c'est moi.»

Un vent de panique la secoue comme une feuille. Elle est prise au dépourvu, la jeune fille, elle n'attendait manifestement pas ce coup-là. Je lui mettrais la main au fessier dans l'ascenseur, elle ne serait pas davantage pétrifiée. Sauf que mon comportement actuel n'est pas de nature à justifier une gifle, même si, je le vois à son œil devenu mauvais, elle aurait bien envie de m'en palanter une. Elle se ressaisit pourtant assez vite, ce qui vous donne à jauger son degré de maîtrise.

«Que voulez-vous?

— En savoir plus sur le compte de Stéphane Gauthier... Et sur vous aussi.

— Je n'ai rien à vous dire!

— J'ai des doutes à ce sujet.

— Vous n'avez aucune preuve. D'ailleurs, je n'ai rien fait de mal. J'ai simplement rendu service. De quoi allez-vous m'accuser?

— Est-ce que j'accuse, moi?

— Qu'est-ce que vous me voulez, alors? Si vous avez fait un pareil voyage pour me joindre, moi que vous n'avez jamais vue, ce n'est certainement pas pour me conter fleurette. Si vous avez l'intention d'exercer une quelconque vengeance sur moi, autant que vous le sachiez, vous vous trompez de personne. Ma vie est limpide et exempte de toute frasque douteuse.»

Sa réplique, elle l'a prononcée d'une voix qui tremble. Je lui fais peur, je crois. Elle me prend pour un truand. Il faudrait que je m'explique davantage, mais comment, avec son impatience palpable de me voir libérer les lieux.

Je lui tends la photo sur laquelle elle apparaît petite fille, entourée de sa mère, de Stéphane et de celui qui serait son frère Ricky, selon ce que m'a déclaré la voisine à la voix grêle qui n'est pas très voisin.

«Vous reconnaissez ces gens-là?

— Je n'ai rien à vous dire. Laissez-moi tranquille et partez.

— Stéphane, c'est qui, pour vous?

— Je ne répondrai pas à vos questions. Vous perdez votre temps.

— Vous portez le nom de votre mère?

— Cela ne concerne que nous deux!»

Elle lève un doigt autoritaire pour m'intimer le silence. Je saisis le sens de son geste en constatant que la chanson en cours tire à sa fin. Il lui faut assurer l'enchaînement et j'admets que c'est prioritaire. Des commutateurs cliquent sous les doigts de sa main droite, pendant que de la gauche elle place un CD dans un autre appareil. Sa voix radiophonique se fait la plus naturelle du monde pour présenter un parfait inconnu et sa chanson intitulée : *Comment j'ai pris une MTS de ma poupée gonflable*. J'attends que la prestation du chanteur s'amorce avant de lancer une autre question.

«Votre frère Ricky, qu'est-ce qu'il devient?

— Écoutez-moi une bonne fois pour toutes. Je n'ai aucune envie de vous parler, et je ne vous parlerai pas. Vous êtes ici dans mon lieu de travail, c'est vous l'intrus et je vous jure que j'ai le moyen de vous forcer à évacuer, en descendant les marches tête première si nécessaire. Lorsque je vous ai téléphoné, j'ai fait la commission d'un autre, rien de plus. Cela ne fait pas de moi une criminelle, même pas une suspecte. Et vous auriez tort de croire que je trempe dans quelque affaire louche. Vos activités ne me regardent pas et vous n'arriverez jamais à me convaincre d'en devenir complice. Vous devez partir, disparaître de ma vie aussi vite que vous y êtes entré. Sinon, je prends le microphone que voilà et j'appelle à l'aide. Vous pouvez être certain que d'ici pas longtemps il y aura toute une armée pour vous expulser *manu militari*. Votre apparence pourrait en souffrir. Voilà, je vous ai tout dit. Déguerpissez!»

J'ai un frisson dans le dos. Elle ne blague pas, la charmante enfant, je le comprends à son ton déterminé et à ses traits qui se sont durcis. Pourtant, je reste assis malgré ce que je risque. Quand je m'y mets, je suis le parfait casse-cou. Et je suis parvenu au point où les cascades ne me font plus peur. Je m'adoucis tout de même. Elle a touché, à quoi bon vous le cacher!

«Accordez-moi juste un droit de réplique.

Après, si nous ne nous comprenons toujours pas, vous avez ma parole que je repartirai.»

Son hésitation suffit à m'encourager. Je poursuis.

«D'abord, Pinson, c'est mon prénom. Mon vrai. Je n'y peux rien si ça fait sobriquet de motard criminalisé. C'est tout au plus un trompe-l'œil. Je suis un pacifique qui a toujours vécu au Saguenay, sans la moindre relation avec quelque milieu interlope que ce soit. À la suite de votre appel de lundi, j'ai dû me charger de la livraison pour le restaurant où je travaille et que vous connaissez certainement puisque vous avez vécu trois ans par chez nous. Le Crotale Sonné, qu'il s'appelle. Eh bien! Des bandits que je ne connais ni d'Ève ni d'Adam m'ont agressé sans que je sache pourquoi. C'est Stéphane qu'ils visaient, j'en ai la preuve, mais c'est moi qui me suis trouvé sur leur chemin. Et je crains qu'on continue de me poursuivre, question de se débarrasser des témoins. Pour des raisons compliquées, je ne peux pas mettre la police dans l'affaire et j'ai décidé d'en trouver le fin mot par moi-même. Légitime défense, ne croyez-vous pas? Ce que vous savez est très important pour moi. Au fond, je vous trouve sympathique et je crois même que vous dites vrai lorsque vous affirmez que vous n'êtes pour rien dans ce concours d'événements. Mais vous devez m'aider. Croyez-moi, je suis tout ce qu'il y a de plus honnête. Je ne veux pas vous faire chanter, encore moins vous menacer. Une fois cette aventure classée, il est peu probable que vous entendiez jamais parler de moi à nouveau. Tout ce que je souhaite, c'est désamorcer les desseins criminels de quelques truands indésirables. Rien de plus. Et vous aurez droit à ma discrétion, de sorte que vous avez peu de chances d'être inquiétée dans l'avenir, ce qui ne sera certainement pas le cas si des enquêteurs suivent la piste que je viens de parcourir et aboutissent ici. Vous pouvez maintenant, si vous le jugez pertinent, ameuter la ville entière. Vous vous débarrasserez de moi sans coup férir. Mais votre père, lui, il ne lui restera plus sur la planète aucun endroit où se cacher.

— Je n'ai pas de père!

— Alors, saisissez votre micro et sonnez de l'olifant.»

J'ai joué mon va-tout. Ça casse ou ça passe. Candie est maintenant indécise. Elle tend la main vers le microphone, mais ne complète pas son geste. Elle garde le silence, d'où je déduis qu'elle évalue la portée de ma tirade héroïque et le poids de mes bonnes intentions. Je respecte son silence.

Pendant ce temps, la chanson sur les MTS prend fin et, levant une nouvelle fois le doigt pour me rappeler que je dois me contraindre provisoirement au silence, elle met sur la platine un CD qu'elle présente comme étant celui de Pierre Lapointe, au sujet duquel elle précise qu'il va occuper les trente prochaines minutes de l'émission, à savoir que tout l'album va passer sans interruption. Elle est disposée à discuter, je crois.

Pendant que s'élèvent les premières notes de *Place des abbesses*, elle met un baume extrêmement lénifiant sur ma douloureuse attente en déclarant :

« Par quoi voulez-vous que nous commencions ?

— Par nous tutoyer. Rien de tel qu'une certaine familiarité pour favoriser la confidence entre jeunes d'une presque même génération. »

Chapitre 13

Étienne

J'avais raison de craindre un retour difficile.
Lorsque je sors du restaurant, il pleut tellement
que je me réjouis d'avoir les trous de nez orientés
vers le bas: autrement il mouillerait dedans, au
risque de me faire rouiller le cerveau. Il fait froid,
d'un froid qui pénètre jusqu'aux os. La nuit est
tombée depuis déjà plus de deux heures et
Montréal se cache sous un dôme de brouillard
opalescent dont mon rétroviseur me renvoie le
fantôme sur quelques kilomètres.

Puis c'est le noir total. Je traverse des paysages
de cauchemar que mes phares éclairent un instant
sans parvenir à véritablement les tirer de ces
ténèbres opaques et poisseuses. Les réverbères
dont se bordent les bretelles allument çà et là des
oasis à l'atmosphère blanchâtre qui rappellent les
films de loups-garous ayant pour décor les landes
de la Transylvanie. Les voitures ont pratiquement
quitté l'autoroute. Il n'y reste qu'une majorité de
camions lourds parmi lesquels ma Golf se réduit à
une quantité négligeable.

Le parc des Laurentides, pourtant, est autrement plus vicieux. À Québec, déjà, la pluie se
mélange de neige fondante qui l'emporte tout à

fait et colle au bitume dès que j'entreprends de gravir les premiers contreforts de la chaîne montagneuse. Je ne vois bientôt presque plus la route, tellement tout est blanc partout, tant les flocons serrés font un manège étourdissant devant mes phares falots[32]. Là aussi, les fardiers dominent résolument. Les tempêtes de mars sont les plus sournoises. Elles vous apportent sans sommation des quantités impressionnantes d'une neige douce, infiniment plus glissante que celle qui s'abat en plein cœur de l'hiver.

Enfin! Tant que je puis rouler, même très lentement, rien n'est vraiment dramatique. Je finirai bien par arriver à destination malgré tout.

Or, passé l'Étape, le trafic est soudain immobilisé. Devant moi, une file de véhicules s'allonge jusqu'à disparaître dans le prochain détour, sans que je puisse en évaluer l'importance. Derrière, une autre file se constitue rapidement. Un accident, sans doute. J'en ai pour combien d'heures avant qu'on dégage la route? Deux? Quatre? Huit? Ou plus encore?

Mauvaise nouvelle, mais pas tant que ça. Je manque justement de sommeil. Les événements me suggèrent de me ranger sur l'accotement et d'en profiter pour récupérer un peu.

Mais pas moyen de fermer l'œil. Mes lecteurs

---

32. Que dites-vous de ce rapprochement syntagmatique? N'est-il pas assez sonore, en dépit de sa rareté? N'est-il pas assez évocateur? Pas à dire, les plus hauts honneurs de la gloire m'attendent.

me secouent. Quoi? Vous dites? J'ai oublié quelque chose? C'est vrai que je vous ai laissés abruptement dans la station radiophonique pour sauter au chapitre suivant, sans rien vous dire de ma conversation avec Candie. Cela vous semble insupportable?

Je vous ai trop gâtés, je pense, en vous racontant les choses à mesure en toute ponctualité, sans aucune cachette. Vous devenez insupportables comme des gamins dissipés. Citez-moi un auteur qui ne garde jamais quelques noisettes dans ses abajoues et j'arriverai peut-être à me sentir coupable. Moi, voyez-vous, je vous dis tout depuis le début et je ne récolte qu'ingratitude. Ça m'apprendra à être familier avec le client. La prochaine fois, vous pouvez l'espérer, je garderai mes distances.

En fait, je voulais m'assurer de votre niveau d'attention. Et aussi vous sauver du temps. Vous savez, j'ai finalement passé plus de trois heures en tête-à-tête avec Candie. Nous avons discuté tout ce temps-là. Si je voulais reproduire notre dialogue, en faire une transcription fidèle comme cela se pratique à la cour de justice, vous imaginez un peu le nombre de pages qu'il aurait fallu! Même mon éditeur m'aurait fait les gros yeux. Je vais donc vous faire un résumé succinct.

Vous vous rappelez une certaine carte d'assurance maladie surprenante que j'ai subtilisée dans l'appartement de Stéphane. Elle était au nom de Étienne Samuel, si vous vous souvenez bien. Si vous ne vous souvenez pas, reportez-vous sans tarder au chapitre sept, il est encore là puisque ce n'est pas un feuilleton que vous avez entre les mains. Eh bien, et c'est là la plus grande surprise que m'a occasionnée Candie, Étienne Samuel et Stéphane Gauthier, c'est la même personne. Et cette dite personne porte probablement un autre nom aujourd'hui. Assez costaud, n'est-ce pas!

Vous vous souvenez aussi de la Roxane du lave-auto, laquelle avait entendu un mot comme «manuel» ou «annuel», de la part du clan de Lourdes-Bottes. Sinon, c'est au moment du chapitre dix que votre attention s'est relâchée et, comme les écrits restent, il vous est loisible de corriger cette distraction sur-le-champ. C'est Samuel qu'ils criaient, les gars. Dans bien des milieux, et notamment dans celui du crime organisé, on s'identifie par son seul nom de famille, à moins que ce ne soit par un surnom. Étienne, on l'appelait Samuel tout court.

Voici *grosso modo* son histoire. Vers 1980, Étienne Samuel débarque de sa Gaspésie natale dans la grande ville. Il y vient pour travailler, mais il rêve surtout de faire fortune rapidement. Sa recherche d'emploi s'avère plus épineuse qu'il ne l'avait prévu. Une organisation criminelle de peu d'envergure qui opère principalement sur la Rive Sud le recrute bientôt. Une affaire de drogue, sans doute. Candie n'a pas été en mesure de me le confirmer avec certitude, mais c'est ce qu'elle croit.

Lorsqu'il rencontre Ginette Jalbert, c'est le coup de foudre. Mais celle-ci, jeune fille pulpeuse et désirable, est la petite amie du caïd, ce qui complique sérieusement leurs rapports. Ils doivent se cacher, même si l'amant en titre se lasse bientôt de sa flamme du moment au profit d'une jouvencelle de remplacement. Ils ont ainsi deux enfants.

Compte tenu du milieu violent où évoluent ses partenaires amoureux, Ginette refuse catégoriquement de donner le nom de leur père à ses rejetons. Elle craint pour leur sécurité future et préfère laisser entendre qu'elle ne connaît pas leur géniteur. De même, les amants se refusent à faire vie commune. Ils conviennent de vivre séparément tout en se rencontrant sur une base régulière à l'un ou l'autre des appartements.

Les années passent, les enfants grandissent. C'est lorsque l'aîné, Ricky, commence à fréquenter les gangs de rue et à se défoncer tant qu'il peut qu'Étienne décide de se reconvertir à l'honnêteté. Un beau jour, il disparaît de la circulation sans laisser de traces, mais non sans emporter un magot considérable qu'il considère comme un fonds de pension mérité et qui lui permet encore aujourd'hui de subvenir aux besoins de sa famille, de lui assurer un certain luxe, même, et aussi de payer ses abus d'alcool. Car s'il est parvenu à se débarrasser, tout seul, de la coke et des substances chimiques, il n'a pas pu se guérir d'une soif intense encore exacerbée par un sevrage jamais complètement résolu.

Toujours est-il qu'il arrive à se procurer une nouvelle identité et qu'on retrouve Stéphane Gauthier dans la région du Saguenay où il se terre pour échapper à une vendetta toujours possible. Étant donné le paquet dont il s'est emparé, il sait qu'il n'en réchappera pas si on réussit à retracer son itinéraire.

Le reste est facile à déduire et je ne vais pas faire insulte à votre sagacité en vous l'expliquant de long en large. Candie ne savait pas que les poursuivants de Samuel l'ont enfin retrouvé par hasard. C'est moi qui le lui ai appris et elle en a été bouleversée. Bien entendu, elle n'a aucune idée de l'endroit où il s'est réfugié, ni non plus s'il a adopté un autre nom. Elle m'a affirmé aussi, et je n'ai aucune raison de ne pas la croire, ne pas connaître les trois farceurs qui lui courent sus. La photo rescapée de la caméra de Stéphane ne lui rappelle rien. Leur père, selon elle, a toujours tenu mordicus à les laisser en dehors de ses activités. Chose certaine, c'était payant, puisque la fortune subtilisée ne semble pas faire mine de fondre.

Et Ricky? Il vit dans la rue, maintenant. Candie ne l'a pas revu depuis plusieurs mois et sa mère elle-même a perdu sa trace. Elle en est inconsolable, même s'il lui a fait bien des misères, même s'il la battait chaque fois qu'il passait à l'appartement pour lui soutirer ses économies. Il est peut-être mort. À moins qu'il se soit déplacé vers une autre ville.

Ah, la famille! Y a rien de plus vrai. Les liens du sang, à quoi bon vouloir les discuter. Ils vous attachent au-delà de toute raison et en dépit des problèmes qu'ils vous apportent. Candie ne peut s'empêcher de s'inquiéter d'un père qui ne l'a reconnue qu'à moitié, qui s'est laissé aller à Dieu sait quelles exactions et que seule la déchéance de son propre fils a pu convaincre de s'amender. Dame Ginette, de son côté, se désole de la perte d'un enfant violent et impitoyable, une loque dont la seule fonction, dirait-on, est de semer la merde dans des existences qui pourraient couler paisiblement. C'est l'histoire de beaucoup de gens, ceux qui, comme les peuples heureux, n'auraient pas d'histoire autrement.

Voilà, je vous ai tout dit. Vous êtes satisfaits? Pas moyen de faire durer le suspense, avec vous. Quoi encore? Vous voulez d'autres détails? Candie, vous dites? Vous croyez que je vous cache quelque péripétie scabreuse? Eh bien non! Vous le savez, je n'ai que Junie en tête et je ne vais pas la risquer pour une chanson.

C'est vrai pourtant que nous avons eu un échange amical. Elle a fini par rentrer tout à fait ses griffes de félin, la speakerine féroce, et nous avons pu parler comme deux vieux amis. Même que nous sommes allés manger au restaurant après son quart. Forcément, une complicité un peu équivoque s'est installée entre nous. Le moyen de faire autrement quand un homme et une femme sont en présence. Je l'ai reconduite chez elle avant de prendre la route. En toute sincérité, je dois dire que nous nous sommes quittés à regret. Elle en avait plus que moi, des regrets, et je crois qu'elle aurait aimé être embrassée sur le pas de sa porte. C'était tentant, j'avoue. Mais bon! Je ne nourris pas l'ambition de mordre à toutes les pommes, de ne consommer qu'à moitié. Avec un peu de bonne volonté et en limant convenablement les arêtes de son caractère, elle trouvera bien quelqu'un de plus disponible pour apaiser ses afflux de progestérone. Une branche plus solide où faire son nid.

Vous allez enfin me laisser dormir? Il est maintenant deux heures du matin et je suis crevé. Toute cette route, ça épuise. J'ai besoin d'une douche, avec ça. Pourvu que la route débloque bientôt. Il fait trop froid pour éteindre le moteur et je n'ai pas suffisamment d'essence pour tenir encore douze heures.

Je ferme les yeux en laissant tomber mon chef sur l'appuie-tête et je tâche de faire le vide dans mon cerveau afin de bien vite sombrer dans le sommeil. Mais il n'y a rien de plus difficile que de se dépêcher de dormir. Et c'est sans compter l'imagination, laquelle ne veut absolument pas cesser ses cabrioles, même un seul instant. J'ai beau faire, c'est le maelström dans ma tête, le cyclotron, l'accélérateur de particules. Les images se bousculent, seize par seconde comme dans un vieux film qui tape des yeux.

De ce cinéma se dégage un certain inventaire, toutefois. L'une des deux questions qui motivent mon actuel comportement est à toute fin pratique résolue. Je connais maintenant le passé de Stéphane et les mobiles profonds qui ont déclenché les derniers événements. Il me manque bien quelques détails, mais ils sont surtout de l'ordre de la seconde question : quelles sont les activités des trois fripouilles dont Lourdes-Bottes ne semble que le représentant le plus maladroit? D'après les photographies que j'ai en poche, ils ont jadis fait carrière en Montérégie. Qu'est-ce qui les a amenés au Saguenay? Y sont-ils de passage ou à demeure? Sont-ils grillés dans la métropole? Se cachent-ils, eux aussi, tout comme Stéphane? Ou bien ont-ils décidé de coloniser de nouveaux marchés? Ou encore toutes ces réponses, ou aucune de ces réponses. Chose certaine, ce sont des indésirables que je dois trouver le moyen de neutraliser. Peut-être n'y arriverai-je pas tout seul, mais je me promets de faire le bout qui est à ma portée.

Tout de même, les indices me manquent pour pousser plus loin mon investigation. J'aurais dû rencontrer et questionner Ginette, finalement, même si sa fille me l'a vivement déconseillé, en m'objectant avec assez de réalisme qu'elle resterait muette comme la tombe. Depuis plusieurs années, les amants ont rompu et ils n'ont plus de contacts que pour régler les questions touchant les enfants. La mère de Candie, elle ne tient surtout pas à touiller des éléments d'un passé crapuleux où son rôle n'est pas parfaitement net. Elle n'a sans doute été la complice de personne, mais il lui faudrait le prouver s'il advenait que la justice remonte jusqu'à elle. Surtout qu'elle a bien profité des largesses du milieu. Jusqu'à présent, elle a réussi à faire le mort, et elle n'ira sûrement pas de plein gré se lancer dans la circulation en klaxonnant ou se laisser rattraper par les projecteurs.

L'illumination me vient sans crier terre[33] au moment où je fixe ma pensée sur la troisième photographie, celle qui représente des enfants dans une cour d'école. Le flash qui, depuis deux jours, joue à cache-cache en périphérie de ma conscience, il se matérialise soudain. Et l'image que j'associe à cette photo est assez inattendue : c'est celle de Strauss, mon itinérant préféré, mué en valeureux chevalier et s'escrimant de ses deux mains armées d'un boyau d'aspirateur contre une crapule de fort tonnage.

Mais ce n'est pas ce spectacle édifiant qui retient mon attention. Non, je tique plutôt sur un commentaire dont le bretteur a ponctué son attaque et auquel, sur le moment, je n'avais pas accordé d'importance. Il a dit comme ça que Lourdes-Bottes était meilleur avec les enfants et qu'il devrait retourner rôder autour des garderies. Se pourrait-il que Strauss sache des choses que j'ignore ? Qu'il ait une idée sur l'activité des truands, laquelle aurait un rapport avec les enfants ? Si c'est le cas, il aurait pu me renseigner, non, ce clochard odoriférant, au lieu de se sauver en pleine gloire comme s'il avait un rendez-vous galant. J'en aurai le cœur net avant peu, je vous en fais la promesse. J'arriverai bien à retrouver son

---

33. Quand on crie « gare », c'est qu'on est dans le train. Sur l'eau, c'est « terre » qu'il faut crier à la vue du littoral. N'allez pas croire pourtant que je vous mène en bateau. Mais vous admettrez qu'il y a de la houle, dans ce récit.

terrier et comptez sur moi pour le cuisiner, au beurre noir s'il le faut.

Conforté par cette résolution, je finis par m'assoupir, en dépit du confort très relatif de ma position assise. C'est un tremblement de terre qui me réveille à quatre heures trente. Celui que font les camions lourds qui viennent de reprendre leur mouvement dans les deux sens. Mon petit somme m'a fait du bien et c'est avec une ferveur renouvelée que je me réintroduis dans la file, alors que la neige tombe de plus en plus dru.

Chapitre 14

Re-Strauss

Nous avons fait connaissance dans des circonstances assez particulières. C'était l'été dernier et, je le dis sans fierté, il m'a fait rire. Mais pas rien qu'un peu. À m'en donner des coliques, à en devenir tout mou et à ne plus pouvoir m'arrêter. Est-ce que ça vous arrive à vous aussi, le fou rire? Souvent pour quelque chose de cocasse, mais qui n'est pas si drôle, au fond. C'est ça qui m'a proprement terrassé en présence de Strauss. Je crois qu'il m'a pris pour un demeuré, de prime abord.

Il faisait chaud, la vraie canicule. Ayant réussi à garer mon carrosse toujours en passe de se changer en citrouille, je m'en allais tranquillement au resto prendre mon service à seize heures. C'était dimanche et la rue principale grouillait d'estivants bien mis qui offraient aux ardeurs du soleil leur peau bronzée.

Qui c'est que je vois venir devant moi? Mon clochard lui-même, qui n'est pas encore ma propriété à l'époque, mais dont l'image m'est tout de même familière, vu qu'il traîne régulièrement dans le coin ses mystérieuses occupations faites de petits gestes insignifiants et de cueillettes anodines, sans se soucier le moins du monde de la curiosité que son agitation consciencieuse suscite chez certains. Il a son uniforme d'été : gilet foncé défoncé, pantalon du même, complétés à une extrémité par son éternel chapeau et à l'autre par un soulier droit en mauvais état et une sandale gauche rescapée de la prohibition.

De la main droite, il tient devant lui avec une grande concentration un sac de papier brun qu'il serre au goulot, selon ce que je déduis, compte tenu que ledit sac cache certainement un flacon contenant une sécrétion quelconque de l'alambic.

Il marche lentement et d'un pas circonspect, comme quelqu'un à qui des hémorroïdes en chou-fleur feraient subir le martyre. Symptôme connu de la plupart, dans le secteur : il a dû mettre la main sur quelque aubaine éthylique et son plasma sanguin charrie une haute teneur en alcool.

Comme je suis sur le point de le croiser, l'incident se produit. Son pantalon choit par terre d'un seul coup en un tas difforme autour de ses chevilles. J'en suis d'abord étonné et vaguement mal à l'aise. Car il n'a rien dessous, Strauss. Il s'est arrêté comme un Popeye jouet au bout de son ressort, exposant à la vue des passants sa maigreur de vélo de compétition, ainsi que des abats flasques et douteux que même un cannibale patenté ne rêverait pas de retrouver dans son assiette.

Comme je n'ai qu'un intérêt limité pour ses déplorables intimités, c'est sur le visage que mon attention se reporte, histoire de décoder sa réaction. Bonne idée, c'est justement là que le spectacle se passe. Et c'est là que ça devient drôle. À force d'être naturel. Le plus chevronné des mimes ne pourrait faire mieux que cet artiste improvisé. Ses réflexes ont l'air parfaitement étudiés, bien sectionnés en trois étapes distinctes, comme s'ils étaient destinés à amuser le public. Ils se donnent tout le temps de se laisser apprécier.

Tout d'abord, le regard s'éteint d'un seul coup. Puis les traits tombent et s'allongent, ils expriment avec une infinie justesse la surprise et la désolation. Finalement, après un moment qui vous donne une idée de ses réflexes actuels, les yeux se baissent pour constater l'ampleur du désastre. Pendant ce temps, le sac brun n'a pas bougé. Strauss le tient toujours fermement devant lui en un geste figé de statue. Il a le sens des priorités, allez : perdre son pantalon, c'est une chose ; mais perdre une seule goutte de son breuvage, c'en est une autre ; à un coup du sort, il faut faire attention de ne pas ajouter la maladresse. Il finit tout de même par se pencher pour saisir ses braies à deux mains, toujours sans lâcher son sac, et par les remonter tant bien que mal sur ses chairs peu appétissantes.

C'est ce moment que je choisis pour éclater. Impossible de contenir l'hilarité qui m'investit. Mes jambes flageolent, j'ai peur de m'écrouler sur le trottoir pour m'y rouler. Je fais pourtant des efforts louables pour reprendre mon sérieux, mais il n'y a rien à faire, je repars de plus belle dès que mon imagination reconstitue la scène loufoque, sous le regard mortifié de l'itinérant à qui son itinéraire est complètement sorti de l'idée, pour l'instant. J'ai beau avoir conscience de mon irrévérence, je n'ai pas le choix de me tenir les côtes pour éviter qu'elles s'éparpillent. Je pleure littéralement de rire avec des hoquets incontrôlés et des borborygmes rebelles à ma volonté. D'abord interloqué et vaguement indigné, mon vis-à-vis finit par se laisser gagner à ma joie ingénue. Il esquisse un sourire tout en chicots.

« En tout cas, si j'ai réussi à te faire passer un bon moment, jeunot, je n'aurai pas complètement perdu ma journée.

— Je ne sais comment m'excuser, monsieur. Je suis d'une navrante incorrection. Mais c'est trop drôle, la bouille que vous faites. »

Et je suis de nouveau secoué par un interminable accès d'hilarité.

« Moi, on ne me donne pas de "monsieur", c'est inopportun. Appelle-moi Strauss, comme tout le monde. Enfin, ceux qui s'abaissent à me parler. »

Son élocution m'étonne. Elle est parfaitement inattendue de la part de ce clochard malpropre à la gueule échappée d'une caricature. Il s'exprime dans une langue correcte, exempte de jurons, avec des accents européens. Du coup, il m'intrigue. Ma quinte de rire se fait moins impérieuse et je puis parler à peu près distinctement.

« Tenez! Pour me faire pardonner, je vous offre une soupe. Venez.

— Moi, on ne me vouvoie pas, petit con. Dis-moi "tu", comme tout le monde. »

Et c'est comme ça que notre amitié a commencé. Par la suite, au grand désespoir de Marilou, il est revenu souvent au Crotale Sonné et, chaque fois que j'avais un peu de temps à lui accorder, nous discutions de choses et d'autres. J'ai appris à le connaître et à découvrir ses incommensurables richesses, qu'il s'affaire consciencieusement à cacher sous ses dehors repoussants.

C'est un ressortissant autrichien, ce qui explique le nom qu'on lui donne dans son milieu. Il a vécu dans plusieurs pays d'Europe avant d'aboutir au Québec. Il possède un doctorat en chimie dont l'attestation s'est égarée depuis plus d'un quart de siècle.

Un bon jour, il a été appelé, c'est-à-dire que tous les protocoles sociaux et toutes les contraintes du monde civilisé lui sont sorties par les oreilles. Il n'a plus pu les supporter. Son choix s'est porté sur son penchant le plus fort, la bouteille a eu le meilleur sur la profession; il considère aujourd'hui l'itinérance comme une vocation et il s'y consacre avec la componction solennelle du célébrant à son office.

Pour vous en revenir à mon problème présent, la description qu'il m'a faite de sa résidence demeure un peu confuse. Il m'a bien indiqué le nom de la rue, mais pas le numéro civique. Heureusement, il s'agit d'une ruelle assez courte que je longe à plusieurs reprises dans l'aube indécise. Ma Golf ahane en foulant laborieusement l'épaisse couche de neige qui s'est accumulée au cours de la nuit. Il est six heures du matin et la charrue des déneigeuses ne s'est pas empressée de troubler dans ce secteur le blanc uniforme qui a recouvert toutes choses. Les citadins du quartier n'ont pas encore daigné mettre le nez dehors et seul un chien de belle taille à la recherche de quelque sac de déchets confère un peu de vie à cette triste venelle oubliée.

En fait de taudis, je choisis finalement le plus éloquent. C'est une maison à deux étages que ses habitants semblent avoir carrément désertée. Les fenêtres ne comportent aucun rideau et il n'y a nulle trace de pas sur la galerie avant, non plus que dans l'escalier en spirale qui mène au premier. Le revêtement de bois a jadis été peint en vert sauge, mais la laque s'est tellement écaillée depuis le dernier coup de pinceau qu'il faut fixer son attention pour en reconnaître la couleur.

Je laisse tourner le moteur et vais jeter un coup d'œil à l'arrière en contournant le corps de bâtiment. La galerie que je découvre sur la face cachée est étroite et fermée sur le devant par un panneau de contreplaqué, alors que les côtés sont ouverts et laissent dépasser des bouts de laine minérale isolante qui donnent l'impression de remplir tout l'espace disponible. Il y a de fortes chances pour que mon flair m'ait mené au bon endroit, surtout que la partie supérieure d'un cruchon de verre brun dépourvu de son bouchon et qui m'a tout l'air d'avoir contenu du vin de mauvaise qualité dépasse de la couche de neige le long de la masure. Il n'a pas perdu de temps, l'ivrogne. C'est sans doute ce qui reste des billets que je lui ai refilés récemment.

Il me faut un temps de tâtonnement dans l'amoncellement rose de mousse avant d'y trouver ce que je cherche, sous la forme d'une botte usée et grimaçante dont la consistance et la température indiquent qu'elle est habitée par un pied que vous n'aurez aucune peine à imaginer malodorant. Je la secoue énergiquement. Rien. Je m'y prends à deux mains pour tirer dessus en criant juste assez fort pour ne pas ameuter les voisins.

«Strauss! C'est moi, Pinson! Il faut que je te parle.»

Mes efforts sont à demi récompensés; j'entends un grognement indistinct en provenance de l'autre bout de la galerie. Je secoue le pied de plus belle en le tordant dans tous les sens. Le grognement se renouvelle, mais mon ami a sans doute le sommeil lourd, car il ne bouge pas. Si, pourtant. Ça vient enfin puisque le pied s'anime lentement d'une vie propre, il rentre plus profondément dans l'amas isolant, ressort. Mais le moteur a dû caler et je dois lui redonner de la manivelle pour ressusciter la masse informe du clochard. La voix chevrotante de Strauss se réveille à son tour, mais elle n'est pas particulièrement amène.

«C'est qui, cet emmerdeur, bordel de merde? C'est mon jour de grasse matinée. Pas moyen de dormir tranquille sans qu'un enfoiré de faux-cul vienne te troubler les songes.»

C'est bien la première fois que je l'entends jurer. Je ne suis pas bienvenu, je crois, mais je commence à m'habituer à l'irritabilité de mes interlocuteurs. J'insiste.

« C'est Pinson. Vite, sors de ta tanière.

— Y a le feu, ou quoi? Ou bien tu veux me remplacer pour la journée? Je t'informe tout de suite que je tiens pas de café à la disposition des visiteurs matinaux.

— C'est pas ça. J'ai besoin de tes lumières!

— Là, tu débloques pour vrai. D'habitude, j'éclaire pas beaucoup. Mais ce matin, je suis pire qu'un trou noir et tu ferais mieux de chercher un autre phare pour t'assister dans ta navigation. Et puis, c'est quoi l'idée de me fournir les moyens d'une cuite, si tu me laisses pas le temps de cuver convenablement le nirvana auquel j'ai atteint? Ainsi traité, le patient venu pour une crise de foie a vite besoin de soins psychiatriques. »

Il s'extirpe pourtant de son trou à rats, par petits mouvements calculés, sans presque déranger les rebuts qui lui tiennent lieu de courtepointe. C'est long et je piétine d'impatience. Il doit bien mettre cinq minutes a allonger son corps décharné dans la neige. Seul un bras reste bientôt prisonnier de la laine minérale; il le retire avec des précautions infinies et je constate que la main qui le prolonge enserre une bouteille aux trois quarts remplie de son tord-boyaux. Il reprend tant bien que mal sa stature verticale, mais son équilibre est on ne peut plus précaire. Encore quelques minutes lui sont nécessaires pour retrouver un tant soit peu son assiette. Lorsqu'il y parvient, il semble content de lui et il décide de se récompenser par une lampée copieuse qu'il prélève à même le goulot de son biberon.

«Oh là là! J'ai bien peur que tu n'aies abusé de mes largesses. Heureusement qu'il t'en reste un peu pour soigner ta gueule de bois. Mais tu aurais dû en garder davantage pour demain. Tu aurais meilleure mine.

— Quelle idée! Quand je serai mort, il sera trop tard pour boire un coup. La seule chose qui existe vraiment, c'est l'instant présent. Hier n'est plus et demain n'est pas. Quand l'humanité entière aura assimilé ce truisme, quand elle en aura fait sa doctrine de base et le fondement de ses actions et comportements, nous serons tous plus heureux.

— Viens!»

Ayant jugé son ébriété incompatible avec la station debout, je l'entraîne vers mon auto en le supportant tant bien que mal et en lui évitant de trop se perdre dans la longueur d'onde de ses zigzags. Je lui ouvre galamment la porte côté passager, vu qu'il n'est pas en état de conduire, l'aide à prendre place et regagne moi-même mon siège.

La piquette, il n'y a rien de tel pour vous chambouler l'intestin. Les portières ne sont pas aussitôt refermées que la vanne de sortie sud de ce cher Strauss libère avec fracas un demi-mètre cube de méthane, additionné d'une quantité indéterminée de sulfure d'hydrogène concentré et de bien d'autres ingrédients encore que seule une analyse scientifique pourrait révéler. Les gaz diffusent, comme on le sait, et l'émanation consécutive à cette rupture de barrage est immédiatement perceptible.

C'est pas possible, il moisit tout vivant, mon clochard. Heureusement qu'il n'a pas échappé cette bombe bactériologique dans son réduit; jamais je n'aurais pu le réveiller à temps pour les fins de mon enquête. Pourvu qu'il n'aille pas allumer un mégot dans la prochaine heure. Pour éviter le coma, je m'empresse d'abaisser la glace latérale. Cette parade s'avérant insuffisante, je sors la tête pour esquiver l'intoxication à la vesse corrosive, celle que monsieur Bush aurait été trop heureux de trouver dans le golfe Persique. Lui reste imperturbable, comme s'il ne s'était rien passé. Il y va même de quelques répliques appuyées et sifflantes qui, pour être moins importantes en termes de mégatonnes, n'en ajoutent pas moins des épices exotiques au fumet qui sature déjà l'air plus qu'équivoque de l'habitacle. Je crois voir passer sur ses traits le sourire énigmatique de la Joconde. Au fond, c'est peut-être ça qu'elle cache, l'héroïne de Léonardo, sous ses airs impénétrables qui ont déjà nourri plusieurs siècles d'interprétations savantes : un bon vent décapant dont elle attend avec une expression ironique l'effet sur des amis venus célébrer son anniversaire.

« Tu es docteur en chimie, tu m'as dit?

— Nuance : je l'ai été.

— Tu as dû avaler le contenu de tes éprouvettes, dans le temps, pour avoir conservé une pareille haleine. Évite d'exposer en public le fruit de tes fermentations intestines. La Gendarmerie royale ne rigole pas avec les terroristes.

— Petite nature! Sache que je fais souvent mieux. Lorsqu'il y a trop de maringouins, je m'applique, au lieu de balancer les ingrédients sans les cuisiner adéquatement. L'autre jour, avec quelques copains qui fréquentent sous le tablier du pont, nous avons formé un *band*. Quand nous avons attaqué les classiques du blues à l'orgue à tuyaux, même la vermine n'a pas pu résister. Nous pourrions offrir des services de dératisation, si jamais il nous vient l'idée saugrenue de gagner notre vie.»

Une nouvelle rasade le gratifie de cette éloquente tirade qui, pour énoncer des extravagances délibérées, ne manque tout de même pas d'une certaine cohérence. J'en suis quelque peu rassuré, dans la mesure où son intellect ne semble pas tituber autant que sa carcasse. Compte tenu du mouvement décroissant auquel le niveau de sa bouteille est soumis, je crains que cette situation ne se détériore bientôt. Le temps m'est compté si je veux en tirer les informations que j'espère et si je n'entends pas le remettre dans son gîte à la force des bras.

Est-ce moi qui m'habitue ou si les remugles méphitiques de son appareil digestif se diluent dans le fluide atmosphérique de l'hémisphère boréal? Il n'y a rien là, j'en témoigne, pour restaurer la couche d'ozone. Mais je commence à trouver plus respirable l'air qui m'entoure. C'est le temps d'y aller de mes questions.

«Écoute, cher ami dégueulasse, tu te souviens du gros tas que tu as attaqué à l'aspirateur?

— Celui à qui j'ai greffé un troisième œil?

— Lui-même. À un certain moment, j'ai eu l'impression que tu le connaissais. Ça m'est revenu tantôt. Et je cherche à en savoir davantage sur cette brute. Tu peux peut-être m'aider!»

Il prend un temps de réflexion avant d'attaquer le vif du sujet.

«Faut que je te dise d'abord que les temps sont durs pour ceux de ma classe sociale. Sans statut bien net, dans cette société-là, avec numéro d'assurance sociale, permis de conduire, citoyenneté et tout et tout, tu ne peux pas te contenter de n'être pas grand-chose. Tu es suspect d'avance. Nous, de la cloche, nous avons l'air de jouir d'une pleine et entière liberté, de faire ce que bon nous semble sans jamais susciter de questions, d'aller au gré de notre humeur. Mais ce n'est là qu'une apparence. Ainsi, par exemple, on nous tolère au centre-ville et dans un certain périmètre autour. Le voisinage des édifices publics, des institutions, de certains secteurs commerciaux, c'est là notre territoire obligé. Dès qu'on transgresse ces limites, il se trouve des citoyens prétendument honnêtes pour nous rappeler à l'ordre. Les quartiers résidentiels cossus ne nous aiment pas et ils font preuve de la plus stricte intolérance à notre égard. Ils sont toujours prêts à nous accuser de toutes les frasques commises par leurs ados oisifs aux inventions tordues. Près des centres commerciaux, nous sommes formellement *persona non grata*. Les agents eux-mêmes, de connivence avec les citadins, répriment avec vigueur nos moindres incartades. Ça, c'est la première réalité. La seconde, c'est que les ressources disponibles dans notre enclos naturel diminuent de jour en jour, en raison des mesures sanitaires qu'on n'en finit plus de multiplier et qui nous privent de notre pain quotidien. À ce rythme-là, on va nous avoir par l'inanition. C'est tout juste si on ne cadenasse pas les poubelles. Des fois, je voudrais être un chien. Au moins, on me pardonnerait d'être effronté. Même qu'on s'attendrirait devant mes audaces. Tout ça pour te dire que je dois quelquefois m'autoriser des excursions à l'extérieur de mon circuit, étirer un peu ma longe, si tu vois ce que je veux dire. Je le fais en catimini et je m'arrange pour ne pas être remarqué, tu penses, mais c'est pas facile quand tu éclaires comme une enseigne. C'est ainsi que je me suis retrouvé l'autre jour, je ne me souviens plus quand au juste, loin au sud-ouest, au-dessus de la côte qu'il y a par là. J'y ai trouvé, adjacents à une école primaire, un parc d'amusement et un édifice communautaire autour desquels quelques bacs à déchet et à récupération m'ont permis une maigre récolte... Cherra, cherra pas la bobinette... Devant une mer de vin de messe, je me ferais prêtre... Lance les dés, Frelon, c'est ton tour de chance... »

Mais qu'est-ce qu'il raconte, tout à coup? L'ayant regardé avec attention, je fais le constat qu'il s'est endormi dans le bercement de sa propre éloquence. Chez lui, je l'apprends à l'instant, le rêve précède le sommeil, ce qui lui fait proférer des incohérences. Dans l'esprit d'éviter qu'il ne sombre tout à fait dans l'ivresse, je profite de son inattention pour essayer de lui retirer sa bouteille. Mais certains de ses réflexes ne sont pas endormis, dont celui de protéger sa piquette contre les prédateurs. Quelques-uns de ses neurones continuent de veiller sur son bien le plus précieux. Il serre davantage le goulot et se réveille en sursaut.

«Qu'est-ce qui se passe?

— Il se passe que tu disjonctes de la réalité, tellement tu es bourré. Je t'ai demandé si tu connaissais le gros bedonnant avant de l'affronter.

— Ah oui!... Faut que je te dise d'abord que les temps sont durs pour ceux de ma classe sociale...»

Je lui coupe la parole vigoureusement.

«Non, Strauss! Ton disque est rayé. J'ai déjà entendu ta tirade. Tu pètes et te répètes. Là, il faut que tu prennes des raccourcis, ton rayon d'autonomie ne te permet plus de précautions oratoires.»

Il va pour porter à nouveau la bouteille à sa bouche, mais je bloque son geste d'une main ferme.

«Tu t'hydrateras plus tard. Commence par soulager ta conscience. Autrement, nous allons être encore ici ce soir et je n'ai plus beaucoup d'essence. Allez! Droit au but. Tu en étais à faire les poubelles dans le parc d'amusement.

— O.K. C'est là que mon attention a été attirée par un curieux manège. Gros bedon, il était sur le trottoir et il était entouré d'une dizaine de gamins en route pour l'école. Il semblait leur distribuer quelque chose. J'ai tout de suite été convaincu que son affaire n'était pas nette, mais j'ai pas pu en savoir plus. Comme ça, devant le parc, il se trouvait loin des maisons et il pouvait agir en toute tranquillité. Moi, je ne pouvais pas me permettre d'attirer l'attention, vu que j'avais franchi la clôture de mon pâturage habituel. Pas question surtout que j'aille incriminer quiconque. Ce serait assez pour qu'on me colle sur le dos l'infraction que je prétendrais dénoncer.

— Tu es sûr que c'était notre gars du restaurant?

— Le moyen de le manquer avec les raquettes dont il se chausse. Mon verdict est indiscutable. Il n'y en a pas deux comme lui en ville, c'est certain.

— Tu l'as observé un bout de temps?

— Non, il est reparti presque tout de suite.

— À pieds?

— Il avait un gros sport utilitaire.

— De quelle couleur?

— Vert forêt, presque noir.

— De quelle marque?

— T'es une vraie mitraillette à questions, toi! J'ai même pas le temps d'élaborer que tu dégaines à nouveau. Moi, tu sais, pour les marques de bagnoles, je suis pas très doué. Même du temps que j'avais ma propre caisse, j'arrivais jamais à me rappeler le constructeur. Tout ce que je peux te dire, c'est que c'était du gros modèle. Le genre à se pavaner dans la nature sauvage comme sur un boulevard. Pour les détails supplémentaires, tu devras cuisiner un autre cobaye, je n'en sais pas plus.»

En voilà donc un autre de totalement essoré. Ça commence à m'en faire plusieurs dans les dernières vingt-quatre heures. Il y a eu Adalbert et Roxane, Esther, Candie, et maintenant Strauss. Franchement, ma méthode est tout de même assez efficace. Si j'ai un peu perdu du temps au début, je me suis bien repris depuis, pardi[34]. J'apprends des choses méthodiquement. J'ai maintenant accumulé suffisamment d'informations pour me lancer vraiment sur la piste de Lourdes-Bottes et de ses amis, ce que je compte faire avec un minimum de délai.

«Si tu n'as plus rien à m'apprendre, je t'informe que je vais déjeuner. Es-tu émoustillé par cette perspective? Ça te remettrait un peu à l'endroit pour le reste de la journée.

— Hein? *Vade retro, Satana!*[35] Tu rigoles, de prétendre m'induire en tentation avec une proposition pareille. Je n'ai pas embrassé la clochardise pour me retrouver à faire la noce avec le grand monde, un canapé pour mon cul, quelques-uns pour ma clape en cul-de-poule. À la limite, quand je fréquente les hauts lieux de la bouffe, c'est en dehors

---

34. D'aucuns considéreront ces rimes intérieures comme une maladresse. Or, il s'agit là encore d'une allitération. Celle-ci me vaudra d'ailleurs, n'en doutez pas, le prix Laurel et Hardy. Pardon! Je veux dire le prix des frères Grand-Court.

35. Arrière, Satan!

des heures d'affluence, lorsque je ne risque pas d'y rencontrer les nantis dont j'abhorre les prétentions. Autrement, je ne serais pas de la cloche pour vrai. En plus, si tu tiens absolument à perdre ton nom, tu n'as qu'à me prendre comme escorte. Pas que je sois trop peu sexy pour ça, c'est mon Chanel qui est éventé, et la réputation qui m'auréole n'est pas parfaitement limpide. Tout le monde va croire que tu fantasmes sur le sordide, on va te prêter des pratiques à la Sade. La première chose que tu vas savoir, on va verrouiller en te voyant venir. En outre, qui te parle de me remettre à l'endroit? Là, vraiment, tu me désespères. Je me trouve très bien comme ça et je n'ai aucune envie de couper court à mon paradis artificiel. Pour une fois que j'ai sous la main assez de liquide pour m'éclater, je ne vais pas en gaspiller l'effet. Surtout pas en allant me présenter en public sous le regard bouleversé des gens qui peut-être vont me distraire de ma douce ivresse. La biture, c'est comme la masturbation : ça se passe de spectateurs. C'est sans façon, Pinson. Tu es gentil, mais tu me pardonneras de décliner sans hésitation.

— Alors, viens, je te reconduis à ton trou. Ton témoignage m'a été très instructif et tu vas pouvoir boire et cuver autant que tu veux.

— Pas besoin de me tenir la main. J'ai toute la journée pour retourner derrière cette bicoque. Même si je me perds un peu en route, c'est sans conséquence. »

Il porte sa main sale au levier qui commande l'ouverture de la porte. Comme il hésite à l'ouvrir, je crois qu'il va ajouter quelque chose, mais il n'en est rien. Il ne désire que me laisser un souvenir de son passage sous la forme d'un vent sonore dont je renonce à vous décrire la fragrance. Ce doit être sa façon de baliser son territoire, à Strauss. Tout en abaissant à nouveau la glace latérale, je me félicite qu'il aille s'adonner un peu ailleurs à cet innocent passe-temps.

Chapitre 15

Lourdes-Bottes

La gargote où je passe souvent le matin avant de me rendre au travail pour y avaler un premier café et quelques rôties à la marmelade est déjà remplie à craquer lorsque je m'y présente. Pour être honnête, je dois ajouter que l'endroit est tout petit, avec quelques tables qui bordent une immense vitrine, alors qu'une dizaine de sièges ronds rembourrés au pourtour outrageusement chromé sont alignés le long d'un comptoir derrière lequel deux dames d'un âge canonique s'affairent à préparer les mets avant d'aller les servir aux clients.

Un tabouret qui disparaissait complètement au milieu des larges fesses d'un jeune homme corpulent et déjà étonnamment adipeux se libère au comptoir comme je franchis la porte. J'aurais préféré être seul à une des tables; j'ai quelques appels téléphoniques à placer. Comme elles sont toute occupées, je dois me contenter de cet espace restreint. Le banc n'a pas le temps de refroidir et j'en ressens un certain agacement. Je n'ai pas de joie à parasiter impudiquement la chaleur d'un autre mâle; cela me laisse le sentiment de manquer de tenue, de faillir à la règle qui commande le respect de la propriété privée.

C'est après avoir expédié mon petit-déjeuner que je mesure mieux ma fatigue. L'effet de ma courte sieste sur la route du parc s'est complètement dissipé. Je me sens cotonneux, détaché de la réalité. Le bruit de vaisselle qui se réverbère dans le local exigu m'agace et me fait perdre le fil de mes réflexions, alors que la seule perspective d'entreprendre ma journée de travail ne m'inspire que du dégoût. Je ne m'en fais pas trop avec ce dernier sentiment : quand les clients sont attendus, quand ils sont là surtout, les nerfs suppléent à la bonne forme ; tu n'as pas le temps de t'appesantir sur la puissance résiduelle de tes batteries.

De toute manière, je prévois n'arriver que plus tard au travail. Je compte d'abord observer *de visu* les agissements des douteux personnages qui occupent présentement le plus clair de mon attention.

En premier lieu, passer un coup de fil à Junie depuis le cellulaire qui n'en comporte pas : de fil, s'entend. Je l'attrape au sortir du lit et sa voix, même ensommeillée, me rassure agréablement. Oui, elle a bien dormi. Oui, elle est parvenue à armer convenablement le système d'alarme. Non, il ne s'est rien passé d'étrange. Elle est contente que je sois revenu sain et sauf avec la bordée de neige qui est tombée, elle me recommande trois fois la prudence et me réitère à quatre reprises sa hâte de m'avoir à elle toute seule. Elle m'annonce qu'elle nous cuisinera pour le souper les côtelettes d'agneau qu'elle réussit divinement en les assaisonnant d'ail et de quelques épices secrètes ;

que nous les boufferons à la chandelle avec une demi-coupe de château pour elle et deux pour moi. Je suis étonné de sa soudaine sobriété, autant que de son inhabituelle générosité à mon égard et je la taquine affectueusement.

Elle ajoute qu'elle n'a prévu aucun dessert, mais que mon imagination sera sans doute en mesure de combler cette lacune. Ah, la friponne! Je la vois venir et la chaleur qui gagne mon pantalon n'a rien à voir avec celle du tabouret que le jeune obèse a déserté au moment de mon irruption céans.

Lorsque j'essaie de joindre le Crotale Sonné, j'ai beaucoup moins de succès. Je n'en ai pas du tout, en fait, étant donné que le cellulaire a déclaré forfait. La pile est morte et il n'émet plus que des grésillements parasitaires. Il faut que je passe en vitesse. Je jette un billet de cinq dollars sur le comptoir avant de m'engouffrer précipitamment dans ma voiture.

Bastos est déjà là, premier parmi le personnel du service aux tables, comme d'habitude. Les cuisines résonnent de leur tintamarre familier qui révèle la fébrilité des débuts de journée et irrite mes neurones déjà surmenés.

«Alors, ça s'est bien passé hier?

— Plutôt. Encore beaucoup de monde. Et c'est déjà plein de réservations pour aujourd'hui. Je me demande d'où ils sortent tous de ce temps-ci. On jurerait qu'il y a un congrès international en ville. La patronne va être contente de nous, je crois. Dire qu'elle a pris des vacances en pensant que ce serait une semaine tranquille!

— Au fait, je suppose qu'elle a appelé.

— Trois fois. À la fin, je ne savais plus quoi inventer. Tu en as fait, des commissions : elle va croire qu'on a manqué de tout. Une chance, l'achalandage imprévu des derniers jours rend tes divers alibis plus vraisemblables. Cela réduit d'autant tes risques d'être accusé d'infidélité. Réjouis-toi!

— Je ne fais que ça. J'ai à nouveau pris arrangement avec le livreur de soir pour qu'il fasse toute la journée. Jusqu'au retour de Marilou, je ne vois pas d'autre solution. Je n'ose pas engager de ma propre initiative. Il faut que tu le saches, il est improbable que Stéphane revienne avant un certain temps; je pense qu'il va falloir nous passer de ses services pendant une période encore indéterminée. Et je n'ai personne sur la liste des occasionnels.

— Il est malade? Ou blessé?

— Rien de tel. Il a simplement été contraint de changer d'air, au moins provisoirement. Une affaire compliquée. La semaine prochaine, on se paye un pichet et je te raconterai. On a de toute façon pas mal de placotage à mettre à jour. Et toi, ta santé, on dirait que tu prends du mieux?

— Tout est rentré dans l'ordre. Mes seules séquelles se résument à de mauvais souvenirs. Et aussi à une résolution. Je vais ajouter un sport de combat à mon conditionnement physique. Le prochain qui va vouloir s'en prendre à mes bonbons, je te jure que je vais faire en sorte qu'il s'étouffe avec les siens. »

Son regard d'enfant inoffensif s'allume fugacement d'un éclat mauvais. Je le comprends de rêver vengeance avant de s'endormir, avec ce qui lui est arrivé. Mais je doute que son entraîneur arrive à en faire un justicier très pugnace. Bastos et le tempérament belliqueux, c'est l'incompatibilité totale. Ce n'est pas l'entraînement qui fait le guerrier, et chez lui moins que chez quiconque.

« Je trouve que c'est une bonne idée. »

C'est ce que je lui dis avec un air de franchise parfaitement imité. « Si fait tout homme de bien », ainsi que l'affirmait Rabelais, dans un contexte un peu différent, j'admets. Le mensonge est une faute grave, mais la transparence incontrôlée en est une pire encore. Aucun rapport humain ne saurait être soutenu par la vérité absolue.

Voici ce que je vous propose : essayez ça avec votre bonne amie, celle qui a pour vous les attentions les plus délicates. Pendant deux jours, vous lui dites tout ce que vous pensez d'elle. Mais, là, tout, vraiment tout. Deux jours, pas plus, c'est assez. Bien avant l'expiration de ce délai, je gage que vous vous retrouverez sur le marché des célibataires de seconde main, bien déterminé à mentir désormais. Avec le ferme propos de ne plus résister à la tentation.

Avant qu'on ne me reproche ces paroles subversives, je file au sous-sol, direction le bureau de la patronne. Ayant reposé le cellulaire sur son chargeur, je me plie au rituel ordinaire : je consulte la boîte vocale, là où sont acheminés les messages destinés à l'administration. Comme hier, ce sont des fournisseurs qui ont laissé leurs coordonnées et qui souhaitent être rappelés sous peu. M'étant armé préalablement d'un stylo et d'un bloc, je note consciencieusement les informations. Je rappellerai à mon retour. Car je repars dans l'instant.

Mais l'un des messages me fait sursauter, tout en provoquant une forte accélération de mon rythme cardiaque. La voix dit ceci: «Monsieur Stéphane Gauthier se voit contraint, bien qu'à regret, de remettre sa démission prenant effet lundi soir. Pourriez-vous, s'il vous plaît, préparer son formulaire de cessation d'emploi et le laisser à la caisse. Quelqu'un passera le chercher.» Et c'est tout. Aucun nom, aucun numéro.

Pourtant, il y a quelque chose de plus que le correspondant n'a certainement pas voulu: je reconnais la voix. Elle est contrefaite, mais il en faut davantage pour me faire croire au père Noël. J'ai l'oreille pour ces choses-là, même si je suis superpoche au piano. C'est Stéphane lui-même qui a appelé, ou Étienne, si vous préférez, ou bien je-ne-sais-pas-encore-qui-et-ne-le-saurai-peut-être-jamais, à votre convenance. J'écoute à nouveau l'enregistrement: impossible que je me trompe, c'est lui.

Bien entendu, je ne dispose d'aucun moyen pour retracer la provenance de l'appel. J'en suis quitte pour mes palpitations, c'est tout ce que la situation me permet. J'en suis fort déçu.

Pour ce qui concerne le formulaire, il est un peu pressé, le livreur défectif. Il me faut retracer le salaire des *ixe* dernières semaines, ce en quoi le système informatique peut m'être infiniment secourable. Mais la dernière semaine de paye n'est pas encore complétée et, ce bout-là, je vais devoir me le taper à la calculatrice, en tenant compte de divers paramètres, tous pondérables, sans doute, mais néanmoins complexes. Excellente raison pour remettre à plus tard. Tout de suite, je n'ai pas le temps, mais je note tout de même cette priorité sur un *post-it* que je colle à l'écran de l'ordinateur.

Autant vous le dire, dans le paragraphe qui précède, il y a deux mots en italique que vainement vous vous évertueriez à chercher dans le dictionnaire. Mais prenez-les en note, si vous m'en croyez, ils font partie des prochains néologismes. Ce qui ne veut pas dire qu'ils soient sur un pied d'égalité, du moins de mon point de vue qui s'en voudrait de prétendre à l'autorité d'une bulle papale.

Voici tout de même selon quelle hiérarchie je les classe. Le mot *ixe* est une aubaine, à l'heure où nous, francophones, n'arrivons plus à dériver convenablement sans avoir recours à l'anglais, ce que tend justement à démontrer le mot *post-it*. À la place de ce dernier, l'Office québécois de la langue française nous propose : *papillon adhésif*, *papillon autocollant* et *papillon repositionnable*. Autant imposer *post-it* tout de suite, les formes recommandées ne colleront jamais, en raison du détour qu'elles font et de l'énergie articulatoire qu'elles exigent, en dépit de l'enduit adhésif dont elles sont censément bordées.

L'homme moderne se croit toujours obligé,

dans un souci d'efficacité, de couper au plus court, et les belles périphrases qui fleurissaient le langage de nos ancêtres le laissent sans émotion. Une onomatopée ou une marque de commerce bien frappée le séduisent davantage qu'un mot joliment descriptif ou une expression qui ne sonne pas suffisamment exotique. Bien entendu, ce qui est exotique est anglais. Il y a aussi l'influence d'Internet, notamment du clavardage qui s'alimente des abréviations les plus délirantes. C'est d'ailleurs à mes risques et périls que j'utilise *clavardage*, alors que les Français et beaucoup de mes compatriotes préfèrent le mot anglais *chat*.

Ô Jeanne D'Arc, c'était bien insuffisant de bouter les Anglais hors le Royaume. Il eût encore fallu bannir de l'esprit des Français le snobisme de les copier. Tes voix ne t'avaient pas dit ça? Je crains que ton souffleur de répliques n'ait oublié des grands pans de mur. Couronner un roi, c'est très beau, mais la couronne d'icelui, que les historiens s'accordent à considérer comme un imbécile, on ne t'avait pas informée qu'elle allait par la suite nimber la caboche de toute une dynastie de nabots plus pompeux que compétents, qui allaient préférer s'étriper pour un marquisat ou un vicomté alors même que des continents entiers leur glissaient entre les doigts; qu'ils allaient laisser la langue anglaise s'imposer sur toute la planète après avoir conquis l'Amérique, trop préoccupés de gérer tant bien que mal leurs histoires de fesses ainsi que quelques affaires de préséance protocolaire.

Ô Jeanne D'Arc, toi qui te gardais propre à travers tous ces soldats un peu taquins, toi qu'un idéal de pureté et de grandeur poussait au front en entraînant tous les autres à ta suite, comme les cendres de ton bûcher doivent être amères. Ils en ont eu, de la vision, les rois que ton glaive a recouronnés, fussent-ils aussi soleil que Louis le Quatorzième. De père en fils, pendant des siècles, ils ont pris la proie pour l'ombre, se sont laissés berner par tous les marchés de dupes, ont signé les traités les plus désastreux, sans jamais se départir de leur superbe condescendante. Remarque, tout le monde n'y trouve pas forcément à redire. Voltaire se consolait facilement de la perte de ces quelques arpents de neige : beau péteux de broue! C'est curieux comme la volubilité peut quelquefois tenir lieu d'intelligence et de perspicacité!

Hé, mes amis, est-ce que je me défoule! Lorsqu'on se rencontrera, vous serez étonnés de ma bonne mine. J'aurai évacué tous mes sentiments atrabilaires, extériorisé magistralement mes idées noires, soulagé mon moi de toutes les scories qu'il traînait dans son sillage et qui le gênaient dans ses cabrioles. Avec le gars renouvelé, purifié, allégé que je deviens au fil de ce livre, vous pourrez avoir une vraie conversation, détendue et cordiale.

Vous croyez peut-être que je perds du temps à ressasser toutes ces questions de vocabulaire et de politique internationale, que je vais arriver en retard au prochain rendez-vous que je me suis fixé moi-même. Il n'en est rien. La pensée, c'est long à exprimer, mais ça ne prend pas de temps en soi. Pendant que je jongle à tout ça, je ne ralentis pas pour autant mon rythme. Je suis déjà prêt à repartir, après avoir informé Bastos d'une urgence nationale à considérer sans délai. Je lui promets mon retour vers le milieu de la matinée, en le priant de bien vouloir me suppléer en attendant. Et me voilà à nouveau en route.

La neige tombée durant la nuit a déjà commencé à fondre et les rues sont recouvertes d'une gadoue indescriptible que les voitures soulèvent en des torrents d'éclaboussures. Ma Golf est déjà aussi sale qu'il est possible à un véhicule de l'être en raison de son récent retour de Montréal, ce qui n'empêche pas la circulation urbaine d'ajouter d'autres couches à son maquillage. Or, ce matin, je ne m'en formalise pas. Toute cette crasse sert mes desseins en opacifiant mes vitres de telle manière que je pourrai voir sans être vu et observer tout à loisir les agissements des prédateurs qui sont devenus des proies dans mon esprit. À l'approche du lieu décrit par Strauss, j'évite même de trop faire fonctionner mes essuie-glaces pour nettoyer mon pare-brise; juste le minimum indispensable.

Il n'y a pas deux écoles primaires dans la ville qui rencontrent les caractéristiques évoquées par mon clochard préféré. J'ai facilement reconnu le lieu et je m'y pointe sans tâtonnement. À côté de l'établissement qui reçoit les élèves du deuxième cycle primaire, un grand terrain de jeux propose ses installations à tout le quartier et même à tout l'arrondissement. On y reconnaît un terrain de baseball avec son filet d'arrêt qui domine le paysage de neige, ainsi qu'un court de tennis double aménagé sur une colline et identifiable au treillis métallique qui l'entoure. Plus loin, des balançoires et des équipements d'hébertisme colorés attendent l'été pour se proposer à l'énergie inépuisable des tout petits. La façade de cette aire de loisirs fait plusieurs centaines de mètres. De l'autre côté de la rue, les maisons sont espacées et plus généralement tournées vers les voies perpendiculaires.

Strauss a raison, c'est un excellent endroit pour entrer en contact avec les élèves sans attirer l'attention de quiconque. Par contre, en ce temps-ci de l'année, les activités du lieu sont on ne peut plus limitées et la récolte qu'un itinérant peut y faire ne supporte certes aucune comparaison avec la pêche miraculeuse. Mon ami, il fallait qu'il soit à bout de ressources pour tenter l'aventure dans ce coin-là.

Il est huit heures trente et quelques écoliers isolés déambulent déjà sur le trottoir. Je me stationne du côté opposé au terrain de jeu, approximativement à mi-chemin entre les deux extrémités de cette portion de rue. J'éteins le moteur et me prépare à une attente qui peut être longue. Mais elle ne l'est pas. Je ne suis pas arrivé depuis plus de deux minutes qu'un énorme sport utilitaire débouche d'une rue adjacente et vient à ma rencontre pour stationner presque en face de l'endroit que j'ai choisi. Du coup, un frisson de peur me hérisse les avant-bras. Mais je me ressaisis aussitôt. Je ne vais pas recommencer à avoir la trouille, maintenant que je touche au but. Il est temps de me secouer le courage et de trouver le fin mot de cette affaire, dussé-je y attraper quelque torgnole perdue. Pour le moment, je ne suis pas en danger. Je n'ai qu'à me tenir tranquille, à ouvrir l'œil en faisant bien attention de ne pas révéler ma présence. Sous son camouflage, ma voiture fait merveille dans ce sens.

Tout de suite, il ne se passe rien. L'énorme véhicule ne bouge plus et une légère buée qui monte de l'échappement indique que le moteur continue de tourner au ralenti. Des élèves défilent, seuls ou en petits groupes. Dans mon rétroviseur, je vois arriver un autobus scolaire jaune et scintillant de tous ses feux qui s'arrête devant l'école pour laisser descendre un cortège considérable dont la file indienne s'étire devant le capot et traverse la rue avant de s'engouffrer dans la cour de récréation.

Tous suivent le mouvement, sauf un bataillon d'une dizaine de jeunes garçons parmi les plus grands qui bifurquent sur le trottoir pour se diriger de concert et au pas de course vers l'endroit occupé par la camionnette vert forêt. En réponse à leur approche, la portière du conducteur s'ouvre pour laisser descendre Lourdes-Bottes lui-même, à ce qu'il me semble plus chaussé que jamais et plus bedonnant que naguère.

Il n'y a pas à dire, il est impressionnant, avec sa carrure de sumo et sa gueule peu sympathique. Le pansement qu'il avait au front a été retiré, laissant voir une cicatrice bien ronde recouverte d'une gale brunâtre. Mon copain Strauss, que le Ciel le protège, il te l'a stigmatisé d'aplomb, croyez-moi sur parole. Si je ne craignais pas d'embêter mon éditeur, je prendrais une photo pour la reproduire dans la marge ci-contre. Avec quatre cercles comme celui-là, il pourrait le disputer en séduction à la calandre d'une Audi. Un cinquième et il serait avantagé à un concours pour le choix de la mascotte des prochains jeux olympiques. J'ai l'impression que ce marquage ne lui facilitera pas la discrétion dans la suite de sa carrière et que ça va être un jeu d'enfant d'en dresser le portrait-robot pour quiconque aurait un motif de le faire. Ce n'est pas demain qu'il va pouvoir se débarrasser de la cicatrice, laquelle aura toujours l'air de l'identifier à un troupeau de bovidés.

Un sac de plastique blanc à la main, l'homme contourne de son pas lourd le nez de son véhicule. Il atteint le trottoir au moment où le groupe d'élèves arrive à sa hauteur. Quelques phrases sont rapidement échangées avec l'un des jeunes qui semble le leader de la délégation. Je n'ai pas le loisir d'entendre ce qui se dit, en raison de la distance et de l'impossibilité où je suis d'abaisser ma glace latérale sans ameuter l'une ou l'autre des personnes en présence.

Au bout d'un moment, Lourdes-Bottes met la main dans son sac et en sort une poignée de petites choses noires indécises dans lesquelles je reconnais bientôt des suçons, du fait qu'ils sont emmanchés d'un bâton blanc. Et il fait la distribution, remettant à chacun un nombre inégal, mais qui semble déterminé ou convenu. Dès réception de leur lot, tous les enfants sans exception s'empressent de libérer l'une de leurs gâterie de sa protection en plastique transparent pour se la piquer dans la bouche sans délai.

Je ne remarque aucun échange d'argent. S'il s'agit d'une transaction commerciale, ou bien elle est à sens unique, ou bien le paiement a été effectué d'avance. Me tromperais-je tout simplement sur le compte de mes assaillants? Est-ce qu'il ne s'agit pas de bons papas gâteau que leur générosité pousse auprès des jeunes pour leur offrir gracieusement des petits cadeaux anodins? Ne cachent-ils pas un cœur tendre sous leurs dehors rebutants? Et leur attaque de mardi ne serait-elle pas assimilable à l'intervention de justiciers contre des crimes inconnus?

Je n'arrive pas à m'en convaincre. À ce compte, la remise de suçons pourrait se faire aussi bien dans la cour de l'école, avec l'assentiment et la collaboration de la direction. Pas besoin non plus d'arriver à une heure aussi matinale pour s'adonner à des largesses, la récréation constituerait un moment infiniment plus pratique en laissant aux élèves concernés tout le temps de recevoir leur récompense. Non, vraiment, il y a quelque chose de louche là-dessous et je partage entièrement l'opinion de Strauss, lequel m'inspire d'ailleurs une grande confiance; il m'a démontré à de nombreuses reprises autant sa clairvoyance que son intégrité; il a le pif de son gros nez et la droiture morale de la bête sauvage; son ivrognerie ne sera jamais qu'opportuniste et je ne le vois pas du tout s'abaisser à l'arnaque pour se procurer une goutte de plus.

Il faudrait que je mette la main sur quelques-uns de ces suçons. Rien de plus facile que de m'adresser aux élèves, mais cela signalerait ma présence, en plus de me faire perdre la piste que j'ai déjà trop négligée. Je repasserai plus tard pour satisfaire ma légitime curiosité. Je devrais pouvoir reconnaître plusieurs des récipiendaires présents. Je les observe intensément afin de m'imprégner de leurs caractéristiques physiques.

Mais l'entrevue est déjà terminée. Lourdes-Bottes regagne son mastodonte pendant que les jeunes courent se noyer dans la foule des élèves, bâton pointé hors de la bouche, vers l'horizon. Pendant ce temps, le tout-terrain s'ébranle, passe lentement devant l'école et va se perdre dans le détour qui s'amorce juste au-delà. Il est temps d'y voir si je ne veux pas me laisser semer. J'effectue un virage en U et fouette un peu ma voiture pour le rattraper.

La filature s'avère facile. Ma cible mouvante est parfaitement visible à travers les autres véhicules en raison de sa taille. De plus, Lourdes-Bottes conduit pénardement, comme si c'était dimanche, suscitant même une certaine impatience de la part des autres conducteurs pressés de se rendre au travail à cette heure. Quelques intersections plus loin, il rejoint le chemin des Autochtones qu'il remonte jusqu'au boulevard Cardinal en respectant religieusement, même exagérément, les nombreux arrêts obligatoires qu'il rencontre. Ayant enjambé la rivière Chicoutimi, il poursuit sa remontée vers le sud par le boulevard des Saintes-Épîtres où la circulation dense ne perturbe nullement sa progression trop patiente pour ce quartier industriel et affairé.

Moi, je lui colle aux fesses avec d'autant moins de souci que l'affluence favorise mon anonymat. Ma Golf est banale et quelconque à travers tous les fardiers, quatre-par-quatre, camionnettes et fourgons qui hantent majoritairement cette voie : une planche à voile parmi les cargos dans un port en eau profonde.

Arrivé non loin du ciné-parc, mon guide malgré lui tourne à gauche dans une rue dont j'ignorais l'existence jusqu'à présent et qui donne accès à un quartier de maisons mobiles, ou plutôt d'anciennes maisons mobiles, puisque la plupart d'entre elles ont été immobilisées sur un solage de béton. Plusieurs de ces résidences disséminées le long d'une rue circulaire comportent un agrandissement qui fait saillie sur le côté. Le véhicule utilitaire s'immobilise bientôt dans une entrée et son occupant en descend pour se diriger vers la caravane complètement transformée, aux murs recouverts de larges planches horizontales de couleur verte. Tout en marchant, il actionne sa commande à distance et j'entends un coup de klaxon bref mais caractéristique : verrouillé, le camion ; rien à faire de ce côté.

Je dépasse l'endroit mine de rien et reviens sur mon chemin. Je répète le manège à plusieurs reprises en observant la disposition des lieux. Seuls la façade et le côté sud-ouest de la construction sont visibles. L'autre flanc est entièrement caché par une véritable palissade en planches verticales peintes en brun qui prend naissance sur le coin avant et encadre tout le terrain, relativement vaste, situé sur ce côté de l'édifice. Bien que je ne sois pas en mesure de m'en assurer, je suppose que cette très haute et très surprenante clôture borde aussi l'arrière de la propriété, créant une enceinte à l'abri des regards indiscrets et des intrusions inopportunes. Le parfait bunker.

Ayant stationné ma voiture à quelques maisons de là, j'adopte l'attitude pensive du promeneur solitaire et me rapproche de ma cible. Je fais semblant d'admirer le paysage, n'hésitant pas à progresser à reculons pendant un temps comme pour m'assurer de couvrir tous les horizons. Peut-être viendra-t-il, le moment de montrer ma binette au grand jour, mais ce n'est pas pour tout de suite.

À mesure que je m'avance, il m'est manifeste que la maison voisine côté redoute est présentement inoccupée : aucun mouvement à l'intérieur qui se découvre jusqu'en ses profondeurs par une large vitrine faisant presque toute la devanture de cette ancienne roulotte; dans la voie de garage, aucune bagnole. C'est par ce dernier accès que je décide de considérer la palissade. Je me rends jusqu'à l'extrémité de l'entrée et m'engage dans la neige printanière dont les couches profondes ont la consistance du sel. J'en ai jusqu'au nombril et mes poumons doivent pomper davantage pour compenser l'effort.

Le mur est une construction sans grande recherche. Les planches verticales sont fixées de part et d'autre de deux madriers horizontaux eux-mêmes soutenus à chaque bout par des poteaux carrés plantés dans le sol. Entre les planches, un interstice de sept ou huit centimètres a été laissé, mais celui-ci se trouve aveuglé par le décalage de la planche posée en face; aucun moyen de voir de l'autre côté. Il y en a un, pourtant : il suffit d'enlever une de ces pièces de bois ouvré. Un jeu d'enfant avec l'outil qu'il faut, puisque celles-là sont fixées par deux vis dont la tête est à rainure cruciforme : des vis à gypse. Cela me confirme que le mur a été mis en place par un amateur.

Je retourne à la Golf. Dans la malle arrière, accompagnant le cric, une trousse d'outils sommaires comporte un tournevis qui fera l'affaire. Le manche est creux et la tige peut y être introduite dans un sens ou dans l'autre, offrant ainsi le choix d'une lame plate et d'une autre en étoile. Muni de ce modeste perce-muraille, je reviens sur mes pas. Les vis supérieures sont un peu hautes et je choisis de m'attaquer à celles de la base, après avoir convenablement foulé la neige à l'endroit de mon offensive. Une minute plus tard, je puis repousser la planche de côté en forçant un peu mais pas trop afin d'éviter tout craquement inopportun.

Et je jette un œil dans la cour intérieure. Elle est si encombrée que j'y vois peu de choses de prime abord. Juste une sorte de mur brillant et flexible qui flotte doucement au vent. Il me faut quelques secondes pour y reconnaître un alignement de plusieurs serres, trois, en fait, dont la partie arrière se trouve à environ quatre mètres de moi. Par rapport à leur largeur, les structures sont assez basses, plus que ce que je connais de ce genre d'équipement, sans doute pour éviter qu'elles ne soient vues de la rue.

Toutes ces installations sont assez inattendues, ne trouvez-vous pas? Nous sommes au beau mitan d'un quartier résidentiel, là. Je conviens facilement qu'un particulier possède sa serre pour produire ses épices, ses fleurs et ses herbes aromatiques. Trois, c'est quand même beaucoup. J'admets que ledit particulier puisse entourer son domaine d'un écran protecteur contre les vandales et les curieux. Quiconque a le droit, de mon point de vue, de s'adonner au nudisme à sa guise et de rechercher pour ce faire une discrétion plus respectueuse que pudique. Mais ce genre de personnage aurait plutôt tendance à se doter d'une piscine, de transats et de divers meubles susceptibles de faire apprécier l'été. Sa panse, à Lourdes-Bottes, j'imagine mal qu'elle soit consécutive à une ingestion massive de tomates. Vous feriez comme moi. Vous vous diriez qu'il doit y avoir autre chose. Et que ça pourrait intéresser l'escouade des stupéfiants.

J'ai beau faire des efforts pour percer du regard la membrane mobile qui me fait face, je n'arrive pas à savoir ce qu'elle cache. Il y a de la végétation derrière, impossible d'en douter, mais de quelle nature? Cela monte jusqu'à hauteur d'homme dans la première serre, moins haut dans la seconde et encore moins dans la troisième.

Je décide d'aller voir de plus près, malgré les traces inévitables qu'il me faudra laisser dans la neige vierge et qui, si elles sont découvertes, ne manqueront pas d'éveiller la suspicion dans le camp adverse. Mais on ne doit pas venir souvent de ce côté, si j'en juge à l'uniformité de la couche neigeuse. À l'aveuglette, mon tournevis cherche les fixations inférieures de la planche opposée. Les ayant trouvées non sans mal, il les dévisse au rythme des mouvements de peu d'amplitude que ma main arrive à lui imprimer à casse-poignet à travers la fente mince.

Et je puis bientôt, avec d'infinies précautions, déplacer la pièce de bois comme je l'ai fait précédemment, dégageant ainsi une ouverture étroite, mais suffisante pour y engager avec succès ma carrure plus déliée que musculeuse. Je me dis comme ça que si Lourdes-Bottes me court après au moment de ma retraite, il va se retrouver dans la situation du chat Jules poursuivant Pixie et Dixie lorsque celles-ci enfilent dans leur trou: lui ne passera pas.

Attaché à mon porte-clefs, j'ai un tout petit canif que je m'amuse à garder bien affûté malgré qu'il n'ait jamais servi jusqu'à présent. C'est sans le moindre bruit que cet instrument pratique une fente d'une quinzaine de centimètres dans la toile diaphane, en un endroit que la végétation empêche de voir de l'intérieur. Il faut qu'il y ait quelque chose à y découvrir, sinon je me serai livré à du vandalisme gratuit et j'en aurai pour des semaines à me culpabiliser.

Mais un seul regard suffit à me rassurer. Il y a là un lot considérable de plants de cannabis dont, j'en suis persuadé, on se soucie peu des propriétés textiles. Et les personnes qui s'adonnent à leur culture s'y connaissent, à n'en pas douter.

Disposée de chaque côté d'une allée centrale étroite, la plantation est serrée de manière à utiliser l'espace au maximum. Je constate aussi la présence, au ras du sol, d'un réseau complexe de tubulures souples dont les terminaisons alourdies par une bille de plomb vont approvisionner goutte à goutte chacune des tiges, sans exception : sans doute une solution composée d'eau et de matières nutritives. Au sommet de la végétation, des lanières de fils de nylon blancs et bleus s'étirent jusqu'aux traverses métalliques du plafond bas, probablement pour supporter les tiges trop fragiles. Cette culture n'est pas hydroponique, mais elle n'est pas totalement traditionnelle non plus. Plutôt hybride, je dirais, en me basant sur les quelques connaissances que je possède dans ce domaine. La serre baigne dans une douce chaleur; une forte humidité qui imprègne l'air ambiant occasionne de la condensation sur les parois où roulent sans cesse jusqu'à terre des larmes de rosée cristallines.

Ou mon ignorance est aussi profonde que ma tête est creuse, ou il s'agit là d'une installation destinée à la production industrielle. Autant de chanvre réuni, dans un incubateur aussi parfaitement aménagé, cela donne à réfléchir. Dans cette seule serre, il y en a pour un paquet sur le marché interlope. J'aimerais bien voir ce que contiennent les deux autres, mais je me convaincs assez facilement que je n'y trouverai rien de plus que des boutures plus jeunes de la même espèce. En outre, mon audace n'est pas illimitée et il me semblerait par trop téméraire de circuler à découvert dans l'espace, même restreint, qui sépare deux dômes successifs.

Me reste donc plus qu'à rebrousser chemin. Sur mon passage, je replace les planches, mais sans me donner le mal de reposer les vis. Rien n'y paraît de toute manière tant qu'on ne s'avise pas de sonder la clôture. J'aimerais bien faire disparaître mon sentier dans la neige, mais il faudra que le soleil s'en charge et cela peut prendre encore plusieurs, plusieurs jours. En attendant, je croise superstitieusement les doigts en formulant le vœu que les cultivateurs de mari ne s'avisent pas d'inspecter les alentours. Je ne voudrais pas qu'ils s'évaporent dans l'atmosphère avant que j'aie découvert leur rapport avec les enfants et que j'aie trouvé le moyen de les neutraliser. Les informations recueillies ici suffiraient, bien entendu, à les faire cloîtrer pendant un bon moment. Suis-je trop gourmand? J'en veux plus. Si leur présence près des écoles correspond aux scénarios que j'élabore déjà sous les courbes infiniment séduisantes de mon occiput, il se pourrait qu'il y ait de quoi scier définitivement les pattes de leur chaise et les envoyer au trou jusqu'à leur retraite.

Lorsque je repasse devant la maison au volant de ma Golf, un autre solde de printemps s'offre à moi en terme d'information : à côté du sport utilitaire, une Jaguar bleu nuit est stationnée. Tiens! Tiens! Le patron est arrivé, conduit par le troisième homme, très certainement. Les complices sont réunis, mais comme je ne suis pas trois, cette conjonction de planètes ne m'avantage guère.

Je mémorise le numéro de la plaque minéra-logique : trois lettres, trois chiffres. Les trois lettres, je les connais bien : elles me trottent dans la tête depuis plus de dix chapitres. Les trois chiffres, je ne vous les dirai pas, même si vous éteignez votre mégot de cigare sur la plante de mes pieds. Pourquoi? Je vous l'ai déjà dit, je n'entends pas que mes groupies, chauffés à blanc par cette aventure, aillent s'en prendre à mes personnages et leur fassent un mauvais parti. J'en ai besoin pour amener ce livre à sa conclusion. D'ici là, ne les tabassez pas!

Chapitre 16

Je-ne-sais-pas-encore-qui-
et-ne-le-saurai-peut-être-jamais

«Enfin! C'est pas trop tôt! Est-ce que tu travailles encore ici? Tu veux faire le patron, mais faudrait tout de même qu'on puisse te joindre. Pas là hier, en retard aujourd'hui, c'est la vie de château, qu'elle te paye, la Marilou. Pendant ce temps, nous, on s'engueule avec les grossistes trop pressés en faisant des miracles d'imagination pour inventer des excuses à tes éclipses. En plus, j'ai dû aller faire deux dépôts moi-même, sans aucune escorte. Quand je me serai fait agresser, qu'on m'aura délestée de mon sac de fric, tu seras bien avancé et la proprio va trouver ta chair moins fraîche, moins appétissante.»

Ce n'est pas la première fois que Diane me grimpe dans le portrait. Elle a du tempérament, la petite, et j'en fais souvent les frais, surtout lorsque la charge de l'établissement repose sur mes épaules d'Atlas. Y aurait un brin de jalousie là-dessous que je n'en serais pas autrement surpris, encore que, même en temps ordinaire, elle a tendance à me prendre pour son souffre-douleur. Ses crampes d'ovulation et ses fins de mois, elle n'a pas besoin de me les raconter, je les sens passer sur mon échine, d'Atlas, toujours. Mais je sais composer avec, désamorcer ses sautes d'humeur. Je ne vais pas lui faire le plaisir de me mettre en colère. Elle peut toujours tempêter, je garde le sourire large et le ton égal.

«Allons! Allons, madame Ouragan! Avec ce que tu traînes partout caché sous tes jupes, tu te doutes bien que, si on t'attaque, ce ne sera pas pour ton argent. Les problèmes, tu n'as qu'à en parler à Bastos. Il a toute autorité pour les régler quand je m'absente, ça fait longtemps que tu sais ça!

— Peuh! Ce blanc bec qui n'a que la moitié de mon expérience! J'aime pas qu'il me commande et toi aussi, tu sais ça. Surtout que je lui fais autant d'effet qu'une jument mal bouchonnée. Comme si je serais handicapée du sexe.

— Parlant de sexe, tu devrais consacrer moins de temps à sa toilette et te passer la langue à la poudre abrasive. Tu charries avec un dix-roues! C'est de notoriété publique, il n'y a pas plus gentil que Bastos avec les dames. Disons que j'oublie ta dernière phrase. Que je la mets sur le compte de ton ancienneté vexée.»

Elle ne réplique pas, ce serait inutile et, sur les bords, malhonnête. Elle ne dit pas, lorsqu'elle se lance dans ses crises d'envie, qu'elle est allergique à tout ce qui concerne l'informatique; que devant un clavier elle a plus de gênes communs avec un virus qu'avec un hacker; que ce handicap compromet son avancement. Elle en a plein son escarcelle avec les quelques touches de l'écran tactile qu'elle utilise pour tenir la caisse. On ne va pas lui confier la paye des employés!

«Si tu me disais plutôt ce qui perturbe tes humeurs.»

Elle prélève une dizaine de petits papiers empalés sur un pic près de l'écran et me les tend d'un geste qu'elle voudrait plus impatient qu'il ne l'est.

«Il y a tout ce monde-là à rappeler. C'est urgent. Ils ont laissé un message hier, on n'a pas donné suite. Ce matin, ils veulent me manger, on dirait qu'ils n'ont pas dormi de la nuit.

— Ça tombe bien, moi non plus. On devrait se comprendre.

— Marilou veut te parler sans faute. Elle t'attend tout près de son cellulaire, assise dessus, probablement. Tu fais mieux de préparer ton boniment, elle a la crinière hérissée. Paraît que tu lui gâches ses vacances, à madame. Tâche de lui dégorger les glandes de Bartholin avant qu'elle nous congédie tous!

— Tant que je peux faire ça par téléphone, pas de problème. C'est tout?

— Pas tout à fait. Y a un vrai drôle d'humanoïde qui est venu réclamer après la cessation d'emploi de Stéphane. Je savais pas qu'il nous laissait tomber!

— Force majeure. Quand j'en saurai plus, je t'en reparle. Il est reparti, l'anthropomorphe?

— Sais pas. Il a demandé pour aller à la salle d'eau et il a filé en bas, comme s'il savait qu'il y a une chiotte là. Ça fait trois quarts d'heure de ça. Ou bien il s'est défilé dans mon dos, ou bien il ne s'est pas méfié de la chasse et il a coulé dans la cuvette, auquel cas c'est à l'usine de traitement des eaux usées qu'il faut le chercher.

— Il avait l'air de quoi?

— Si j'avais pu lui voler son chapeau, je t'en dirais davantage. Il était pas rassurant, la barbe pas faite, un pardessus d'avant-guerre au col relevé, des lunettes noires et une gueule de cauchemar. Une voix de SS avec ça qui cassait le français en petits morceaux. Ça chuintait d'aplomb, je te jure. J'ai dû le faire répéter trois fois.

— O. K.! Avec tout ça, je pourrai pas prendre de tables. Excellent pour les pourboires. Je me demande si Marilou va vouloir payer mon hypo-thèque, ce mois-ci. Appelle Régine au plus coupant.

— Elle est déjà sur le plancher. On a un max de réservations.

— Alors, trouves-en une autre. Descends la liste jusqu'en bas, au besoin. Et il me faut quelqu'un qui se maquille pas trop longtemps, il est dix heures trente. Commence par les gars, tiens.»

Réaction imparable. Elle me fusille des yeux. Comme j'ai toujours le sourire courtois suspendu entre les commissures, elle ravale ses susceptibi-lités féministes.

«Ça va, je m'en occupe tout de suite.»

Et je m'engage au pas de course dans l'esca-lier, la liasse de mémos à la main. Comme prévu, je ne sens plus du tout ma fatigue, même que je carbure sur un second souffle qui me donne des ailes ainsi que tout le courage nécessaire à la réalisation de mon mandat.

Deux surprises m'attendent au bureau. D'une part, la porte n'est pas verrouillée. Elle est même entrouverte, ce qui est tout à fait contraire à la consigne, vu la circulation libre et sans surveillance qui caractérise ce sous-sol.

Alors même que je me demande qui a commis la négligence, je découvre dans l'officine, bien assis sur la chaise des visiteurs, un personnage qui correspond à peu de choses près au spécimen du Cro-Magnon que Diane vient de me décrire. Une petite différence, cependant : l'homme est parfaitement reconnaissable et je n'ai aucune peine à l'identifier. Pas que je sois si physionomiste, non, mais il a retiré ses lunettes noires qu'il fait tourner dans sa main droite en les tenant par un manchon. C'est Stéphane, ou Étienne, ou... voyez le titre de ce chapitre, je vous laisse le choix de la désignation. Moi, je continue à l'appeler Stéphane, c'est plus commode, plus conforme à mes réflexes conditionnés, comme dirait Pavlov.

Cette présence imprévue me fait sursauter, mais elle m'occasionne aussi une grande satisfaction. Ayant franchi le seuil, je mets un empressement enthousiaste à refermer la porte et à donner un tour de clé de l'intérieur.

« Tu veux nous enfermer ici ? »

C'est en effet dans cette intention que j'ai posé le geste, mais je ne vais pas accorder du champ à sa suspicion en lui confirmant l'impression qu'il est mon prisonnier.

« Écoute, Stéphane, ou Étienne, ou je ne sais

pas qui, j'ai des raisons de croire que ma sécurité laisse à désirer, dans le moment. Tellement que la valeur marchande actuelle de ma carcasse, c'est zéro virgule zéro zéro. Tout juste bonne pour la science, ma dépouille, et encore, si je parviens à la maintenir dans un état présentable.»

Mais il ne m'écoute déjà plus, ça se voit à cinq kilomètres. Ses yeux roulent dans les orbites, tout en s'agrandissant démesurément. Il affiche un air que je n'ai jamais connu à sa hure longue et étroite.

«Comment ça, Étienne ou je ne sais pas qui? C'est une nouvelle blague, ou quoi?»

J'ignore délibérément la question.

«Comment es-tu entré ici?

— Facile, j'ai la clé. Tu ne t'en souviens pas?»

Joignant le geste à la déclaration, il met machinalement la main dans la poche de son incroyable gabardine vert olive-verte et exhibe l'objet en question. D'un mouvement preste, je le lui fauche en passant. Il cherche bien à le retenir, à resserrer sa prise, mais trop tard, la clé est déjà en ma possession.

«Hé! Tu me prends pour un voleur!

— Loin de moi cette idée! Mais puisque tu as démissionné, tu n'en auras plus besoin. Tu n'as pas fait faire de double, j'espère!

— Là, tu m'insultes! Une chance, t'as toujours été correct avec moi. Sans quoi t'aurais déjà avalé tes dents d'adulte.

— Disons que ce que j'ai découvert récemment sur ton passé me laisse si perplexe quant à ton actuelle intégrité que je me fais l'effet d'être l'aumônier des indécis[36]. »

Ses yeux, qui s'étaient un peu calmés, se remettent à balayer les horizons, pendant que ses lunettes vont s'écraser au sol avec un bruit sec. Il ne se donne pas la peine de les ramasser, mais la main qui les tenait tremble. Il rugit :

« Qu'est-ce que tu veux dire avec mon passé ?

— Plutôt que de répondre, je te propose un conte de fées. C'est avec ça que je m'endors le soir, de ce temps-ci. Toi aussi, ça t'aidera. Le lendemain de ta disparition, alors que je voulais bien tranquillement te remplacer le temps d'une livraison, j'ai essuyé une salve de tromblons. Tu imagines ça ? En pleine ville, contre un représentant d'une espèce protégée, bien qu'elle ne soit pas à proprement parler en voie de disparition. Ils étaient trois, les Nemrod du braconnage urbain. »

Et je lui raconte l'aventure. Je lui narre également la visite de Lourdes-Bottes en après-midi et les voies de fait auxquelles il s'est adonné. Je lui fais la description des personnages impliqués, en m'aidant de la photo du trio et du signalement tout de même très précis dont m'ont gratifié Adalbert et son affriolante employée, Roxane. Mon interlocuteur, j'en suis persuadé, ne perd

---

36. « Jusques à quand, Pinson, nous abreuveras-tu de ces calembours de favela ? » (Un docteur en littérature de l'Université du Québec). « Vrai, que je lui réponds, je ne recommencerai plus ! »

pas un mot de mon discours. Il en est bouleversé, ce qui ne l'empêche pas de donner le change.

« Je ne vois pas en quoi cette affaire me concerne.

— C'est toi qu'il cherchait, l'émule de Berthe au grand pied. Tu sais pourquoi?

— Aucune idée.

— Et tu ne le connais pas?

— Non!

— T'as pas peur que le nez t'allonge au point de devenir un perchoir à moineaux?

— Toujours en forme, quand il s'agit des coups de gueule! Mais tu me fais perdre mon temps. Je ne fais plus partie du personnel et les trucs du restaurant ne me concernent plus. C'est ma cessation d'emploi que je veux. C'est légitime, non? C'est même une obligation légale de l'employeur. Alors, remets-moi le papier que je disparaisse. J'ai autre chose à brader. »

Le téléphone se met à sonner à toute volée, mais je coupe le son d'un doigt qui a l'habitude. Si c'est Marilou, ce qui est plus que probable, elle va tellement fulminer qu'on va la prendre pour un dragon, là-bas, évacuer l'hôtel en panique. Je vais avoir besoin de toutes mes ressources pour lui refroidir le sang et éteindre le feu qu'elle ne manquera pas de cracher à chaque expiration.

Le silence revenu est propice à ma réflexion. Je décide de le prolonger un moment pour faire le point. Il n'y a pas à dire, la conversation avec Stéphane est mal engagée. Il est aussi buté que son éventuelle héritière, à ce que je vois, et je n'arriverai à rien avec ma litanie de question. Faut croire que ma méthode d'interrogatoire n'est pas très au point; moi qui me croyais pas trop mauvais dans les communications, voilà que je suis confronté au doute; je fais vœu de m'inscrire à un cours incessamment. Pour le moment, le gars, ce qu'il me faut, c'est le contraindre.

C'est précisément en me remémorant l'entrevue avec Candie que l'idée me vient. Si, en évoquant son père, j'ai pu la secouer au point de lui faire échapper ses informations, sans doute que le processus inverse peut fonctionner. Je n'ai rien à perdre en essayant. Je sors de ma poche les photos soutirées à la caméra de Stéphane. Ayant choisi celle où apparaissent les trois truands, je la lui mets sous le nez.

«Tu ne les connais toujours pas?

— Ainsi, c'est toi qui as mis à sac mon appartement!

— Exact, mais incomplet. Disons que j'ai devancé de quelques minutes les véritables pillards. J'ai bien subtilisé quelques petites choses, mais sans déranger. Faut dire que le désordre était déjà bien installé; je n'ai pas cru indispensable d'en rajouter. Ceci dit, tu conviens que cette photo est issue de ton appareil?

— Peu importe, j'ai le droit de photographier qui je veux.

— Et le boulevard Milan, ça te dit quelque chose? Et les Jalbert qui y ont leur pied à terre? Et Candie, animatrice de son métier, à l'emploi de la station CFAX-FM?»

Ce disant, j'exhibe à son intention la photo de famille qui fait partie du lot. Je continue:

«Tôt ou tard, les poulets vont avoir le nez dans le merdier qui m'a rattrapé. Et en faisant les mêmes déductions que moi ils vont remonter jusque-là, il n'y a aucun doute là-dessus. Je ne suis quand même pas le plus fin limier du dernier siècle. Même tes anciens copains vont être trop heureux de pouvoir te serrer les couilles en utilisant ta famille. Au fond, en ayant la chance de les précéder chez toi, j'ai pu soustraire provisoirement à leur curiosité des indices essentiels, ce qui rend beaucoup plus aléatoires leurs chances de coincer rapidement un certain complice converti et de lui faire régurgiter un certain magot dont ils se croient injustement spoliés. Si tu m'assures un minimum de collaboration, je te le dis en toute franchise, j'ai possiblement ce qu'il faut pour mettre tes poursuivants sur la voie d'évitement, sans impliquer tes enfants et leur mère.

— ...

— N'est-ce pas?

— Je n'ai pas d'enfants!»

Ah non! Pas de ça! Je pensais qu'il réfléchissait à la pertinence de mes arguments, alors qu'il supputait seulement les conséquences de se buter encore davantage. Il est ébranlé, c'est sûr, mais il n'est pas encore disposé à cracher le morceau. Là, il m'attriste, et il me vient l'envie de le laisser à ses emmerdes imminentes.

«Tu persistes à nier ta progéniture? Soit! Moi, je n'en suis plus là. Ce n'est pas moi qu'il faut

284

convaincre, mais les sbires qui ne vont pas tarder à découvrir tes attaches sentimentales et à les utiliser contre toi. Je suis sûr que les méthodes de ces mecs-là te sont mieux connues qu'à moi. »

Encore un long silence au bout duquel il s'affale d'un coup. Il ne dit rien, mais je sais que j'ai eu raison de son obstination à une certaine détente de ses traits qui affichent soudain la résignation, l'impuissance devant la fatalité. Ses épaules sont retombées et il s'est tassé dans la chaise qui fait face au bureau. Il est bien cuit. Je n'ai plus qu'à recueillir ses mémoires en posant les bonnes questions et, de celles-là, j'en ai plein. En prévision d'une entrevue assez longue, je prends un siège moi aussi, et même un bloc-notes. Quelques écrits, ça peut toujours servir.

« Je reprends donc depuis le début. Qui sont ces trois enfants de chœur?

— Le patron, celui avec le cigare, c'est Réjean Moujalhi, Iranien de par son père. On l'appelle "Mohamed" dans le milieu. Le maigre, il se nomme Léopold "Trapèze" Gionet, parce qu'il a fait partie d'une troupe d'équilibristes, jadis. Le gros, c'est Philippe Dolbec. On l'appelait "Sandale", à cause de ses pieds extravagants. »

C'est parti. En écho à sa bonne volonté, je joue moi-même la carte de la sincérité en lui faisant un résumé de tout ce que je sais, depuis les renseignements obtenus de Candie jusqu'aux observations que j'ai pu faire ce matin en filant le dénommé Dolbec, ci-devant désigné comme Sa Majesté Lourdes-Bottes. Ayant conclu ce tour d'horizon, j'aiguille la conversation sur les véritables activités du trio.

«Tu sais, Pinson, dans une région comme celle de Montréal, une toute petite organisation, telle que celle de mes employeurs dans le temps, c'est presque rien. Une musaraigne dans un champ de blé d'Inde. Et pourtant, ça finit toujours par déranger une bête plus grosse et, en général, ça ne fait pas de vieux os. Les grosses bêtes, dans le monde de la drogue, c'est pas ça qui manque. Les grandes villes en produisent sans arrêt. Si bien que, logiquement, notre affaire n'aurait pas dû survivre plus de quelques mois aux guerres de gangs; les caïds auraient dû se retrouver dans le fleuve Saint-Laurent, dûment chaussés de béton, à servir de buffet froid aux poissons. S'ils n'ont pas été inquiétés, c'est qu'il y avait deux bonnes raisons pour ça. D'une part, ils prenaient une part négligeable du marché. En outre, ils avaient développé un créneau dans la chaîne de consommation qui leur permettait d'alimenter tout le réseau, par la racine, je dirais.

— Les enfants!

— Oui, mais c'est un peu plus complexe. Je t'ai dit tantôt que Trapèze avait fait partie d'un groupe d'équilibristes. Une troupe connue, en fait, qui se produisait un peu partout dans le monde. Des vrais pros, à ce qu'on m'a dit. Un jour, cette formation s'est retrouvée aux Indes, quelque part dans les versants de l'Himalaya. Trapèze avait alors moins de vingt ans. Il ne répugnait pas à se défoncer au haschisch après les représentations

Dans ses recherches de drogue, il a été mis en contact avec une sorte de tradition de famille, assez peu répandue, semble-t-il, mais qui avait cours dans une petite communauté locale. On y mélangeait aux plants de cannabis hachés grossièrement une plante autochtone assez quelconque, parfaitement inoffensive, et on laissait fermenter le tout naturellement et très légèrement dans un endroit chaud et sec. Après quelques jours, tout avait les propriétés du cannabis, et le mélange était même d'une meilleure qualité encore, ayant une teneur en résine et en THC plus importante que le chanvre original. Curieux du phénomène, le gars est parvenu à se procurer de cette plante magique quelques graines qu'il a rapportées au Québec. Il a découvert par la suite qu'elles y poussent très bien, même en pleine terre et dans des conditions climatiques peu favorables. Et puis, il s'agit d'un végétal insignifiant, qui n'intéresse absolument pas la force constabulaire et qui peut donc se cultiver n'importe où sans aucune précaution. Seule, elle n'a aucune vertu hallucinogène. Et, jusqu'à présent, le milieu du crime organisé ignore complètement ses propriétés, et même son existence. On se doute de quelque chose de pas banal, mais le secret en est resté un, alors que la vérité sur sa nature n'a jamais transpiré. C'est un tour de force. Il faut dire que Mohamed a la main lourde quand il s'agit d'assurer la discrétion. S'il me retrouve, la liasse que je leur ai chipée ne comptera pas pour beaucoup. Ce qu'ils veulent à tout prix, c'est mon silence, même si je suis loin de tout savoir. »

Stéphane fait une pause dont je profite pour assimiler tout ça. C'est proprement inimaginable, ce qu'il me raconte là. Est-ce qu'il n'est pas en train de me monter une fable? Moi qui prétendais lui servir un conte de fées quelques pages plus tôt, je me rends compte que c'était de la piquette à côté du grand cru qu'il vient de mettre sur la table. J'en suis estomaqué.

En même temps, je ne puis me défendre d'un frisson qui me secoue les vertèbres l'une après l'autre, de bas en haut. Je commence moi-même à ressembler à l'homme qui en sait trop, dans cette affaire. Et je n'ai pas le goût de me cacher le reste de mes jours.

Pourtant, ma curiosité est aiguisée au superlatif. Elle se mélange aussi d'un autre sentiment qui fait son chemin sourdement, ligne par ligne : la rage. Je la sens monter lentement. Elle part de loin, mais elle est animée d'une énergie cinétique qui pourrait la mener dans des extrémités qui me sont inconnues. Mais avant de songer à l'assouvir, il me faut encore savoir à quelles armes je devrai faire face.

« Tu parles d'une toute petite organisation. Dans ton langage, ça signifie quoi?

— Trois personnes, essentiellement, si on excepte quelques tâcherons, des exécutants dont le mandat est confiné à des travaux précis, sans grande envergure. J'étais de ceux-là. La tête, elle ne comprend que les gars sur la photo. Et c'est un jeune gang. Le voyage de Trapèze aux Indes, c'était fin des années 1970. Un soir de cuite, va savoir comment, il a fraternisé avec Mohamed et il lui a confié sa découverte. L'autre, il avait déjà son passé criminel et il gravissait laborieusement les échelons dans un groupe de motards connu. Il a vu tout de suite les avantages qu'il pouvait tirer de ces confidences et il a convaincu l'équilibriste de s'associer avec lui, afin d'appliquer à une échelle industrielle un procédé artisanal. Les deux ont rompu avec leurs occupations respectives et se sont mis à travailler pour leur propre compte. Ça a fonctionné tout de suite, surtout que la moitié de la matière première n'avait aucun marché et, donc, ne coûtait à peu près rien. Sandale s'est bientôt joint à eux. C'est un ami d'enfance de Mohamed qui l'a pris sous son aile au moment où il s'est retrouvé pratiquement à la rue, sans ressources. Il a pas inventé la corde à danser, non, c'est un peu le troufion du régiment, mais il est fidèle et il donnerait sa seule chemise pour que son protecteur en ait six. Et Mohamed l'aime comme le roi son bouffon, il a pour lui toutes les faiblesses. Je dirais que le maillon le plus vulnérable de la chaîne qu'ils forment, c'est Trapèze, à cause de sa tendance à picoler un peu trop. C'est d'ailleurs Trapèze qui m'a appris plus de choses que je ne devrais en savoir.»

Un peu essoufflé, il s'arrête à nouveau. Les longs palabres, il trouve ça difficile, il n'a pas l'habitude, et sa démarche oratoire est hésitante. Je respecte son silence jusqu'à ce qu'il reprenne de lui-même en bifurquant un peu.

«Si je peux me permettre de parler un peu de

moi, je suis arrivé dans le coin au moment où l'affaire débutait. Je débordais d'énergie, je nourrissais des ambitions irréalistes, mais je n'avais aucune formation spécialisée. En Gaspésie, c'était pas une sinécure de se faire une place, avec la chute des marchés, une compétition impitoyable et les cotas de pêche qui fluctuaient encore plus que la marée. En m'amenant à Montréal, je croyais découvrir l'Eldorado. Rien n'a été comme je pensais. Ma recherche d'emploi s'est avérée vaine et je me suis retrouvé tout de suite dans une misère pire que celle que j'avais quittée. J'aurais fini quêteux si on m'avait pas offert d'agir comme commissionnaire et comme petit revendeur. C'était payant, ce métier-là, et pas trop difficile. Je pouvais m'offrir du luxe, une belle moto, une voiture, un appartement. Et même économiser. Incroyable! Je ne savais pas très bien compter, à l'époque. J'avais toujours eu plus de besoins que d'argent.»

Le récit de Stéphane est très intéressant, mais j'ai hâte qu'il en arrive au cœur du sujet, à ce qui me passionne vraiment. Vous savez, je vous présente ses paroles en phrases toutes belles, endimanchées, mais sa narration est beaucoup plus laborieuse. Il y a des hésitations, des répétitions, des mots pas tout à fait justes, des conjugaisons écorchées et des confusions de genres. Ne me remerciez pas, c'est de bon cœur et c'est mon métier. Pas tout à fait, quand même, je suis serveur. Mais quand j'écris, j'aime bien qu'on me suive, même dans les conversations les plus lamentablement décousues.

«Mais le rapport avec les enfants, dans tout ça? Es-tu au courant de ce qu'ils font? Et les conséquences, tu les connais?

— J'y arrive! Ne t'impatiente pas, j'ai encore quelques renseignements indispensables à te donner avant. Ce ne sera pas très long. Mais sache tout de suite que je n'ai jamais touché à cette partie des activités. J'en ai été victime, c'est une autre affaire.

— Vas-y, alors. Tu me parles de quoi?

— Du procédé et de son résultat. Ils appellent ça le maltage, dans leur jargon. Je sais pas si tu t'es déjà intéressé aux différents processus de fabrication de la bière?

— Pas vraiment, non. Je n'aime pas beaucoup cette urine alcoolisée qui revient en urine neutre quelques minutes plus tard, l'effervescence en moins. C'est fait pour les assoiffés chroniques.

— Chacun ses goûts, je garde les miens. Donc, la bière est le produit de la fermentation du malt, lequel s'obtient par le maltage. À l'état pur, le maltage se fait en soumettant l'orge convenablement préparée à des conditions de température qui favorisent l'action des enzymes que les grains contiennent, lesquels transforment l'amidon, également présent dans l'orge, en un sucre qui peut être fermenté ensuite. Les brasseries, il est rare qu'elles utilisent du malt provenant exclusivement de l'orge. À cette céréale, on mélange d'autres grains riches en amidon, comme du maïs ou du riz, par exemple. Les enzymes de l'orge ne font pas la distinction, ils contaminent les autres céréales et transforment tout l'amidon en malt. Ça donne des bières de différents goûts. Tu me vois venir, je suppose!

— Pas vraiment encore.

— Mohamed a fait quelques démarches pour savoir ce qui se passe dans le truc ramené par Trapèze. D'après ce que j'en ai su, il semble que c'est un peu la même chose. La plante inoffensive contiendrait une forte concentration d'une molécule très voisine de celle du THC. Une seule liaison chimique diffère. En présence du cannabis, elle est en quelque sorte contaminée et la liaison en cause se rectifie. Probablement sous l'effet d'une enzyme, mais je n'en sais pas tant. Le résultat, c'est une forte concentration de THC dans le mélange qui le rend impropre à l'usage ordinaire qu'on en fait. Il ne peut être fumé ou inhalé tel quel sous forme de mari ou de haschisch, il faut le couper considérablement, de tabac ou de tout autre produit dont la combustion se comporte adéquatement. Mais le nouveau THC obtenu a aussi une autre propriété très intéressante pour le marché : il est soluble. On m'a parlé de solution colloïdale, mais je ne sais pas ce que ça veut dire. Par contre, je sais que par simple lessivage on obtient une décoction très concentrée dont les applications sont multiples. Cette drogue peut être ingérée par voie buccale ou intraveineuse. Elle peut aussi être intégrée sans que rien n'y paraisse dans une foule de denrées comestibles, dont les bonbons. Même pas besoin de les fabriquer, les bonbons. Il suffit de les faire tremper dans une solution suffisamment dense pendant un temps plus ou moins long et de les faire sécher par la suite. Ça devient facile d'attirer les enfants, de provoquer une dépendance qui survient chez une certaine proportion d'individus, et de se créer un futur marché de cette manière. Voilà!

— Je comprends... Assez dégueulasse, tu ne trouves pas?

— Le mot n'est pas assez fort. Toi qui t'y connais si bien là-dedans, essaye donc d'en trouver un meilleur dans tes temps libres.

— Tu me dis que tu n'as jamais touché à ça?

— Jamais, je ne savais même pas qu'ils s'adonnaient à un pareil trafic dans les écoles. C'est par mon fiston que j'ai eu des doutes, en le faisant parler. Il était déjà accro à douze ans, irrécupérable. Même pas moyen de lui faire passer plus de quelques heures en désintox. J'ai proprement saoulé Trapèze et j'ai su le fond de l'histoire. À partir de ce moment-là, j'ai cessé toute consommation et j'ai préparé ma sortie.

— En emplissant tes poches, notamment?

— Entre autres choses, mais ce n'est pas si important. J'ai prélevé une juste compensation pour les problèmes que ces salauds m'ont occasionnés, pas plus. Ça ne les a pas ruinés, seulement humiliés. »

Je crois savoir l'essentiel. Je ferais durer l'entrevue, je réclamerais des détails sur plusieurs points si j'avais le temps, mais tel n'est pas le cas. Stéphane lui-même se tortille sur sa chaise, il souhaite probablement en finir avant l'arrivée des clients. Je me tourne vers l'ordinateur et accède au dossier de gestion du personnel. Pendant que je prépare le formulaire demandé, j'y vais de quelques questions de portée plus générale.

«Ils sont ici pourquoi, à ton avis?

— Je ne peux pas le savoir. Pour s'en faire une idée, il faudrait connaître les raisons qui les ont chassés de la Rive Sud. Peut-être une compétition trop vive, peut-être une guerre de territoire trop hasardeuse à leur goût. Ils semblent en tout cas avoir décidé de coloniser un nouveau milieu. Chose certaine, ils ne sont pas en visite touristique, tu l'as bien vu tantôt!

— Y a quand même quelque chose qui m'étonne, dans leur comportement. Comment des professionnels comme eux ont-ils pu commettre une erreur aussi épaisse que celle de me tirer dessus? Tu admettras que, de penser que tu serais dans la voiture après votre rencontre au lave-auto, c'est assez mal connaître la nature humaine!

— C'est pas tout à fait ainsi que ça s'est passé. Chez Bouchard, on ne s'est pas rencontrés, ils m'ont vu. De la façon dont c'est arrivé, ils ont pu croire que, moi, je ne les avais pas vus, et aussi que je n'avais pas vu qu'ils m'avaient vu. Peux-tu démêler tous ces emplois du verbe "voir"?

— C'est bien la seule explication possible... Et toi, tu deviens quoi?

— C'est déjà réglé, je change de nom et d'identité. J'ai l'habitude, maintenant. Et je vais me cacher quelque part. Si ta pelisse ne vaut rien, imagine la mienne!

— Je puis avoir tes nouvelles coordonnées?

— Pour notre sécurité à tous deux, mieux vaut que tu ne les connaisses pas.»

Lorsque je reporte mon regard sur lui en tendant le formulaire imprimé, il est occupé à un drôle de manège : il se glisse dans la bouche, un à un, deux morceaux de plastique blanc qu'il place dans chacune des joues en se contorsionnant le visage. L'opération terminée, il ramasse par terre ses lunettes et se les ajuste sur le nez. J'ai la surprise de voir apparaître devant moi une tout autre physionomie. Sa tête en lame de couteau a disparu pour faire place à une face plus ronde, méconnaissable, alors que le regard disparaît derrière les verres noirs qui en escamotent l'expression.

«Ça alors!

— Ffaut mieux que che pache inaperchu!»

Je comprends que Diane ne l'ait pas reconnu, j'ai moi-même l'impression d'avoir affaire à une autre personne. Je vais déverrouiller la porte.

«Pour mon édification personnelle, les tatous que tu as sur la photo, c'est du vrai, ou si ça part au lavage?»

Sans un mot, il passe deux doigts sous la manche gauche de sa gabardine, déboutonne la chemise et remonte les deux vêtements superposés jusqu'au milieu de son avant-bras, me mettant ainsi devant une alternative troublante, encore que non verbalisée. Ou bien ça résiste au lavage, ou bien il ne s'est pas débarbouillé depuis le milieu des années 1990.

Chapitre 17

Sandale

Cette journée de travail interminable finit quand même par finir. Je n'ai pas eu trop de l'après-midi pour reprendre à la fois le temps perdu et le contrôle des activités, j'ai même poinçonné mon départ avec une demi-heure de retard. L'horloge aurait dû aller plus vite, il me semble, avec toutes les choses qui ont retenu mon attention. J'ai réussi à retourner tous les messages, y compris les quelques nouveaux que la boîte vocale avait mémorisés depuis le matin. Toutes des choses assez banales, finalement, faciles à régler mais qui grugent tout de même du temps.

Il y a eu, bien sûr, l'inévitable explication avec Marilou. C'était bien elle qui avait rappliqué pendant mon échange enrichissant avec Stéphane. Son message, surtout par le ton glacial, ne laissait aucun doute sur son humeur : « Je ne sais pas ce que tu complotes, Pinson, mais on dirait que tu prends tous les détours pour ne pas me parler. Je suis convaincue que tu es dans le bureau et que tu ne veux pas répondre. Tes manigances, je les connais depuis longtemps. Beaucoup s'y laisseraient prendre, mais, avec moi, ça ne colle pas. J'ose croire que tu vas me rappeler dans l'instant, sinon ça va faire du bruit à mon retour. »

Je n'étais pas trop impressionné par ses menaces et, bien entendu, tout s'est arrangé pour le mieux. De prime abord, elle n'entendait pas à rire, c'est vrai, et je pouvais toujours multiplier calembours et contrepets. Une fois que je l'eus rassurée avec tout le doigté dont je puis faire preuve, la joie lui est revenue. J'ai pris ma voix la plus mielleuse pour lui dire ma hâte de la revoir. Elle était plus inquiète de mes démarches que fâchée de mon indifférence, finalement. Heureusement que je lui fais un peu d'effet. Je me défends de profiter de la situation, mais j'avoue, la rougeur au front, qu'il m'arrive de l'exploiter. Je lui ai confirmé que je faisais un brin d'enquête, mais je suis quand même parvenu à escamoter le principal, en lui promettant un échange plus complet dès son arrivée. Étant donné tous ceux à qui j'ai promis des explications depuis quelques heures, il va falloir que j'organise une conférence au sommet dans pas longtemps si je ne veux pas y consacrer une semaine entière.

Ma patronne, je ne lui ai pas dit non plus que j'avais chômé ma journée d'hier. Elle le verra bien lorsqu'elle consultera ma fiche de temps à l'ordinateur; son ravissement devant l'économie de salaire devrait compenser généreusement la contrariété que pourra lui avoir causée ma défection.

Si le temps m'a paru si long, ce n'est donc pas parce que j'ai manqué d'occupations; c'est que j'étais harcelé par la hâte de me consacrer à nouveau à ce qui constitue pour le moment mon unique obsession. L'après-midi durant, à travers les contingences qui m'en ont détourné, j'ai traîné avec moi un sentiment d'inachevé, l'impression d'un compte en souffrance.

Toute cette horreur, ça me dépasse. Je n'en crois pas mon entendement. C'est comme quand vous lisez sur les atrocités des camps de concentration nazis et que ça continue à vous trotter dans la tête, si bien que vous n'arrivez plus à vous endormir; où quand vous voyez aux nouvelles télévisées le compte rendu des sauvageries commises dans les pays en guerre. Il n'y a que de l'intolérable dans la cruauté des hommes. Du contre nature. Quand elle s'exerce au détriment des plus faibles, en plus, qui ne comprennent même pas de quoi il s'agit, tous ceux qui se sentent une responsabilité vis-à-vis de la relève ne peuvent plus raisonner leurs réactions. Ce sont les tripes qui mènent, les émotions brutes.

Tout ce que j'ai appris depuis ce matin, je n'arrive plus à me le sortir de la tête et mon sang bout comme dans une marmite surchauffée. Ce n'est pas possible, un pareil machiavélisme. Qu'on s'en prenne à des enfants, qu'on leur vende des stupéfiants, c'est déjà inacceptable; qu'on les intoxique à leur insu, qu'on soit déterminé à compromettre leur vie entière, alors qu'elle ne fait que commencer, en leur imposant sournoisement une dépendance dont ils ne peuvent se méfier, ça me rend malade. De rage!

Faut-il en vouloir, de l'argent, être prêt à tout

pour en posséder! À moins que ce soit pour le pouvoir que l'argent peut conférer! Ce ne sont pas tous les crimes qui se commettent au nom de la richesse matérielle. Les génocides, les viols systématiques, les mutilations massives sont quelquefois gratuits économiquement, mais ils ont tous en commun l'intention d'imposer ou de consolider le pouvoir. Celui d'un individu sur ses voisins ou d'un groupe sur les autres. Et les enfants, cibles vulnérables, faciles à atteindre, ce sont trop souvent eux qui paient l'orchestre. Eux qui ne rêvent que de nous perpétuer en mieux et que des adultes n'hésitent pas à asservir à leurs ambitions.

Sans compter qu'ils leur proposent le plus mauvais exemple, de sorte que l'arnaque se perpétue dans les générations successives.

Il y a pire encore. Quand tu parles d'innocence souillée, de fragilité exploitée, de naïveté sans défense, tu nages en plein dans les poncifs. Ta littérature fait dans les stéréotypes et elle n'émeut pas beaucoup. Dire que notre monde est blasé, ce n'est même pas une trouvaille. Il en voit tellement, ce monde, qu'on ne sait plus quoi inventer pour lui faire dresser les oreilles. Chaque jour il est confronté à l'insoutenable sans broncher pour autant.

Depuis le temps que les médias, eux aussi avides de pouvoir et d'argent, veulent nous en mettre plein la vue, on finit par tomber dans une indifférence généralisée, certainement morbide. Et pourtant, Dieu sait s'ils en ont, des choses à nous offrir. Assez pour nous guérir de nos tares si le débordement de l'information pouvait avoir cette conséquence. Mais c'est le contraire qui se produit: de trop être renseignés provoque l'insensibilité. Et l'insensibilité a comme effet pervers de favoriser le crime en donnant l'impression qu'il n'y a plus rien de grave. C'est l'escalade.

C'est quoi, cette inspiration douteuse de la Nature de postuler que l'espèce humaine est mature? De lui confier cette planète en lui assignant la responsabilité de la mener à son épanouissement? La conscience sociale et le sens commun, ce sont des vertus aussi répandues que l'albinisme. Contre le bataillon de la lumière, il y a l'immense armée de l'obscurité où la passion aveugle domine. «Six pieds sur terre il y a trop de salauds», que disait de la Rochelière il y a quelques années. Jusqu'à présent, je n'avais jamais trouvé que plaisante cette façon d'exprimer les choses, assaisonnée d'un rythme plus entraînant que sérieux. Elle prend aujourd'hui une autre dimension. Il concluait sur son élan: «Mon Dieu, promets-moi que l'enfer existe![37]»

Notre seule ressource est-elle vraiment d'espérer en une justice transcendante ou bien si on peut poser des questions en attendant une hypothétique intervention divine? Est-ce qu'il n'était pas possible au responsable, quel que soit

---

37. Bien entendu, je ne prends pas le solécisme à ma charge; je me contente d'utiliser le sens général.

le nom qu'on Lui donne, de régler ça correctement dès la création? D'éviter que l'ouvrage se gangrène et s'infecte? Toujours, c'est à la création qu'on en revient, à celle qui a permis le mal, à ce mystère jamais élucidé bien qu'il ait suscité toutes les gloses.

Moi, le polisson, quand je vois les méfaits où l'homme peut tomber, il m'arrive de caresser une théorie selon laquelle la planète aurait été déféquée; chiée, si les mots plus crus vous paraissent davantage évocateurs; elle serait le fruit d'une colique.

Au départ, t'as le big-bang, l'explosion d'un gigantesque garde-manger. Ensuite, dans les espaces généreux ainsi déterminés vient un prédateur: faut-il parler de Dieu ou plutôt du diable? Un être qui bouffe des quantités énormes d'énergie et qui sème sur son chemin, comme le cheval ses pommes de route, les planètes une à une et les étoiles, jusqu'à former des systèmes solaires et des galaxies. $E = mc^2$, non? C'est pas moi qui l'ai dit, ce qui n'enlève rien à la réalité qui se cache sous cette relation. La relativité restreinte, n'a-t-elle pas connu son illustration dramatique à Hiroshima? Six dixièmes de gramme de matière qu'il a fallu. Mais oui, aussi peu, une pincée de sable pour souffler la ville en se transformant en énergie pure.

Or, toute bonne équation est réversible, c'est bien connu. Tu condenses l'énergie, tu synthétises la matière. Il s'agit d'avoir le système digestif qui convient. Le plus dur à passer, bien sûr, c'est les étoiles. Ça doit être chaud pour le zéro, de pareils étrons, ça doit te laisser les hémorroïdes assez cuites, merci!

Et les lois naturelles font le reste. Tu laisses une bouse à la température de la pièce, tu la fais chambrer en quelque sorte, elle grouille bientôt de vers, de scarabées, de larves de toutes sortes. La Terre, elle a le malheur d'être tempérée. Mercure et Vénus, elles sont préservées par des températures trop élevées. Mars est trop froide. Au-delà, dans le royaume des bulles de gaz, on n'en parle pas, c'est voisin du zéro à l'échelle du dénommé Kelvin. Mais la Terre, elle, c'était fatal, elle est bientôt attaquée par toutes les infections, la pire étant la prolifération de l'homme. Même les asticots ne s'étripent pas entre eux pour avoir plus de merde à bouffer. Mais les hommes, oui!

Cette cosmogonie, que je me réserve pour les jours de révolte et de pessimisme, ce n'est pas un dogme, encore moins une religion. Même moi, je n'en fais pas une règle de conduite inébranlable. Dans ce domaine, ma seule conviction est que le doute est infiniment plus fécond que la certitude. L'infaillibilité est un piège à cons; tous les gourous savent ça; tous sans exception, les chamans et les grands prêtres, les sorciers et les mages, les thaumaturges et les devins, les prophètes et les augures, les nonces apostoliques et épiscopaux, les ayatollah ainsi que les papes. Mais ils seraient bien bêtes d'aller vendre la mèche, ils ne vont pas tordre le cou à la poule aux œufs d'or. Bien au contraire, tu veux fonder un mouvement religieux dont tu entends être le chef, tu commences par décréter ton infaillibilité, en accompagnant évidemment cette déclaration d'une transe congruente; si cela te rend suspect aux yeux de certains, il y aura toujours des paumés pour te suivre.

Je ne demande donc à personne d'adhérer à mes élucubrations métaphysiques, c'est mon affaire à moi et n'allez pas vous battre en son nom. Il y a déjà suffisamment de gens qui ne pensent qu'à massacrer pour des théories, pour des croyances aveugles, n'allez pas en rajouter, surtout. Je vous laisse le droit de croire ce que vous voulez; ou de ne croire en rien, à la limite. Quand chacun aura reconnu le même droit à tous, déjà, la planète ira mieux; elle sentira moins la merde. Ce ne sera pas encore parfait, mais ce sera un bon commencement.

Est-ce que ces propos suffisent à vous décrire mon état d'esprit au moment où je reprends, à la brunante, le boulevard des Saintes-Épîtres? Mais oui, j'y retourne. J'ai un compte à régler et c'est tout de suite que ça doit avoir lieu. Je ne vais pas attendre que ma rage soit calmée et que soit dispersée la détermination qui l'accompagne. Je suis pompé à bloc, je vais éclater si je n'arrive pas à libérer mes instincts vengeurs, à faire baisser la pression. Dans mon complexe nerveux, il y a un clignotant qui hurle à l'alerte rouge. Il me faut agir d'urgence. Je me reposerai après de la fatigue accumulée, j'irai soigner mon épuisement contre la peau thérapeutique de Junie, avec un peu de ma fierté retrouvée de faire partie de l'espèce humaine. Tant que ce ne sera pas conclu, je ne peux pas.

Arrivé sur place, je retrouve le sport utilitaire stationné au même endroit. La Jaguar a disparu, ce qui me laisse à entendre que seul Sandale se trouve dans la maison. Je reprends mon stationnement de ce matin. Dans la malle arrière, je prélève trois instruments : le tournevis qui m'a si bien secondé précédemment, une douille hélicoïdale pouvant servir à déboulonner les roues une fois pourvue de son manche et la chaîne qui sert ordinairement d'attache de sécurité à la petite remorque dont mon automobile se complète quelquefois. Le tournevis gagne la poche de mon anorak. Les deux autres accessoires pourront me servir d'armes défensives si mon raid devait attirer l'attention.

Il me déplaît de constater que la maison voisine est maintenant pourvue de ses occupants. De la lumière sourd à travers les fenêtres, tamisée par les rideaux tirés. Dans le stationnement, une Dodge Caravan est immobilisée. Bien que contrarié, je ne m'attarde pas à cet inconvénient. En moins d'une minute, je traverse le terrain pour disparaître par la brèche pratiquée plus tôt dans la palissade et qui est demeurée telle que je l'ai laissée.

Les trois serres luisent doucement dans la nuit complètement venue à présent : sans doute une ampoule de faible puissance qui agit comme veilleuse à l'intérieur. Cette fois, c'est vers les deux abris plus éloignés que se porte mon attention.

Selon mes déductions, ces aménagements doivent contenir la mystérieuse plante hindoue, celle qui n'intéresse pas les flics et qu'il me semble important de neutraliser pour éviter que la nouvelle de son existence ne se répande. Le premier dôme, celui que j'ai déjà visité du regard, je le garde comme pièce à conviction. Quand tu veux incriminer trois scélérats de gros calibre, n'est-ce pas, il est bon d'avoir sous la main une bonne serre bien fonctionnelle et remplie de mari à maturité pour sonner le réveil des patrouilleurs endormis derrière leur séchoir à guetter les excès de vitesse entre deux dos d'âne dans un quartier majoritairement fréquenté par des petits vieux.

Mon canif fait merveille encore une fois. Mais là, je ne me contente pas d'y aller avec parcimonie. D'un seul trait, je trace un grand demi-cercle qui fait tout l'arrière de la seconde serre, de sorte que la toile semi-transparente choit à mes pieds avec un frottement léger, repliée sur elle-même en un tas luisant.

Et j'ai du coup une vue panoramique sur l'intérieur. Une ampoule est en effet suspendue au plafond, jetant un éclairage chiche sur une végétation touffue dont l'apparence m'est familière. Ça ressemble à ce que nous appelions de la rhubarbe sauvage, dans les campagnes, vous savez ces sortes de mauvaises herbes à grandes feuilles qui produisent, à maturité, de petites boules piquantes qui s'accrochent aux vêtements et aux lacets d'espadrilles et dont on a le plus grand mal à se débarrasser. Même apparence givrée, mêmes tiges robustes, même feuillage en parasol. Les pousses me viennent à la taille. Je les tâte de la main pour ressentir, sous les larges palmes, une pubescence rêche. À l'endroit où les pédoncules sont soudés à la tige, une sorte de résine visqueuse et gélatineuse, comme de la sève partiellement solidifiée, remplit l'angle de pousse.

Je sursaute lorsque l'unité de chauffage se met en marche. Il s'agit d'un module carré rouge accroché au plafond, à l'intérieur duquel je puis voir un ventilateur qui tourne à vitesse réduite, ainsi que de gros éléments en serpentin couleur aluminium. Pour concrétiser mon entreprise de destruction, il me faut arrêter cette machine. À l'autre bout, près de la porte, une petite boîte électrique munie d'un gros commutateur à bascule me fait signe. Je parcours le mince couloir aménagé entre les plantes et, d'un coup sec, je coupe le courant. Le radiateur électrique refait silence, mais la veilleuse s'éteint en même temps, plongeant dans une pénombre épaisse l'espace autour de moi. C'en est fait des fines herbes de mes trois salauds. Au cours de la journée, le temps s'est éclairci et le soleil est revenu en force pour faire fondre presque toute la neige accumulée la nuit dernière. Avec comme résultat que cette nuit-ci va être très froide, cela se sent déjà. Ainsi ajourée et dépourvue de son système de chauffage, la plantation va geler dur en quelques minutes seulement.

Je reviens sur mes pas en vitesse, malgré l'éclairage déficient, pour m'attaquer sans délai à la troisième construction. Mais je n'ai pas le temps de procéder. Un gros réflecteur s'allume sous la corniche de la maison mobile; la porte secondaire s'ouvre et Sandale fait irruption sur une étroite galerie qui domine le sol de la cour du haut de ses trois marches. Il a troqué ses bottes contre une paire de pantoufles tout aussi vastes. Son pantalon tient par des bretelles de couleur sombre qui passent par-dessus un débardeur de coton blanc léger, ce dernier faisant davantage ressortir encore la nature flasque et surchargée de l'outre proéminente qui lui sert d'abdominaux. Il a des bras qui paraissent courts à force d'être épais et musclés, couverts d'une fourrure dense et sombre.

Ses vêtements d'intérieur peu adaptés à la température ambiante ne l'empêchent pas de se précipiter vers la serre dont je viens de couper l'arrière, le chauffage et la lumière. Il ne m'a pas vu encore, puisque je me tiens sans bouger de biais avec la construction. Mais il ne va pas tarder à me découvrir en venant constater mes actes de vandalisme.

Je me mets en position de le recevoir. Je n'ai plus peur ou presque, ma colère est la plus forte. En venant ici, j'espérais vaguement cette rencontre. Je me prends même à rêver que ses deux diacres s'amènent eux aussi pour leur frotter les oreilles tous en même temps. Je me sens invincible, tant la fureur me consume. L'adrénaline monte, sans doute, mais elle n'a pas pour effet de me pousser à fuir éperdument. Je veux l'affronter, ce gros tas d'immondices. Il va peut-être me découper en tranches minces, mais il va lui falloir gagner ma peau d'abord, je m'en fais la promesse.

Dans la main droite, je tiens ma chaîne par les deux extrémités; les maillons sont gros, elle est lourde et redoutable. Dans la gauche, la douille d'acier massive disparaît complètement; la taille de mon poing n'en est pas beaucoup augmentée, mais sa force de frappe ne sera pas la même, c'est certain. Je suis à la fois un faux droitier et un faux gaucher. Certaines activités conviennent mieux à une main alors que l'autre se charge plus volontiers d'activités différentes. S'il me faut combattre, et le risque se précise dans ce sens, mes attaques devraient sembler un tant soit peu déroutantes pour l'adversaire.

La porte de la serre à peine ouverte, Sandale constate le froid qui l'envahit déjà et il enclenche le commutateur de la boîte électrique. Le radiateur fait de nouveau entendre son vrombissement et la lumière revient. En découvrant l'absence du mur arrière, il y va d'une bordée de jurons qui ne semble plus vouloir s'arrêter; je peux vous dire que sa culture est très vaste dans le rayon des saints ainsi que de leurs ornements et accessoires. De son pas lourd, il s'amène, considère mon œuvre d'un œil incrédule, attrape le bout de la toile accumulée au sol, s'avise que la bordure nette et bien tranchée ne peut être le fait de causes naturelles et finalement recommence à sacrer en levant les yeux vers moi.

Me reconnaît-il? Je n'en jurerais pas. Nous ne

nous sommes vus qu'une fois, très brièvement, et l'éclairage de cette cour, malgré le réflecteur, n'est pas de nature à révéler tous les détails. N'empêche, sa bouche se tord en un rictus qui découvre en partie ses dents et se donne l'allure d'un sourire mauvais, une expression qu'il réussit parfaitement.

En même temps, sa main droite glisse derrière son dos et revient armée d'un poignard de belle taille qu'il brandit devant lui en s'avançant.

Comme il est à portée, ma chaîne fouette l'air avec un sifflement, dirigée vers la main qui tient l'arme. Il a prévu mon geste, retire la main prestement et frappe tout de suite après, d'un mouvement que je ne parviens à esquiver que partiellement. Le couteau transperce la manche gauche de mon anorak et je le sens qui glisse sur ma chair en la mordant au passage. Pas le temps de constater les dégâts, s'il y en a. Je verrai plus tard, à la condition que j'aie un avenir.

La chaîne cingle à nouveau, en s'abattant sur le bras de Sandale, cette fois, un peu au-dessus du coude. À la résistance, je sens que j'ai touché d'aplomb le biceps nu. C'est ce qu'il doit se dire à l'instant lui aussi : il grimace de douleur et son bras retombe lentement, non sans tenter de passer le relais à sa gauche.

Mais mon martinet métallique continue ses moulinets. Au moment où le poignard va changer de main, il l'attrape au vol avec un tintement clair et le fait voler à quelques pas, tout près de la palissade où il disparaît dans la couche de neige molle. Parfait! Je me débarrasse à mon tour de la chaîne.

J'esquive tant bien que mal le pied du gros lancé comme un bolide vers mon bas-ventre; il en veut à toutes les virilités qu'il rencontre, ce type. Il doit faire une fixation. La pantoufle glisse sur mon ventre sans m'occasionner trop de mal; j'attrape le pied géant et fais basculer sur le dos son propriétaire de droit commun, secondé par le sol glissant où ses pantoufles n'ont que peu d'adhérence.

Un corps à corps serait par trop inégal et j'hésite à profiter de sa position précaire. Il a beau paraître vulnérable, c'est un colosse, certainement très fort, et je ne me sens pas curieux d'expérimenter sa prise de l'ours. Juste le temps de me dire cela, il se relève avec une souplesse que vous n'auriez pas soupçonnée chez lui. Des coups de pied se mettent à pleuvoir, mais il se méfie cette fois et je parviens assez facilement à les éviter. Je suis tout de même plus rapide que lui : moins encombré de bidoche et plus jeune.

Il envisage de frapper du poing droit, mais se ravise. Ma chaîne a cogné dur et son bras n'a pas encore retrouvé son usage habituel. Ce qu'ayant constaté, il s'essaie du gauche, un coup où je sens parfaitement la maladresse du droitier congénital. Je bloque sans peine et frappe à mon tour

Mais là, pas à la retirette. J'y mets tellement de force, j'y concentre un tel effort que les jambes me mollissent un instant. Ce coup-là, ainsi que je l'espérais, il ne l'a pas vu venir et il le reçoit sur la pommette, près de l'oreille.

Je crois que j'ai brûlé toutes mes munitions d'un coup. Si je ne l'ai pas eu, c'est lui qui va m'avoir, ça ne fait aucun doute. Ça craque de part et d'autre du point d'impact : la gueule de Sandale aussi bien que toute une série de mes articulations. Un courant électrique part de mon poignet et se répercute jusque dans l'épaule. Et la douleur survient, fulgurante. Je ne sais si je me suis foulé quelque chose, mais j'ai l'impression d'avoir tous les cartilages liquéfiés, depuis le bout des doigts jusqu'à l'omoplate; le bras est engourdi et je le secoue en vain, non sans avoir laissé tomber à mes pieds la douille de métal.

Dieu merci, mon vis-à-vis est sonné pour de bon. Il est toujours debout, mais il ne fait plus aucun geste et ses traits sont retombés, sans expression. Il est sous anesthésie générale. Je le savais, qu'il pouvait garder la stature verticale en tout temps, avec les assises qui lui servent de pied. Je m'approche et le pousse fermement. Aussitôt, il s'abat dans la neige qu'il écrase de tout son poids.

Vous savez l'envie proprement fantasque qui me vient? Je ne sais pas si je vais vous le dire, tellement c'est biscornu. C'est bien par respect pour vous que j'avoue ma pusillanimité inavouable. J'ai le goût de m'acharner sur le truand inerte, à bras raccourcis, à grands coups de sabots, de le tabasser sans merci, d'en faire de la viande hachée non comestible. Ça me démange tellement que j'en vois rouge. J'ai Bastos à venger et je ressens un besoin pressant d'évacuer de la frustration et de me libérer de toutes mes pensées morbides de la journée. Mais par-dessus tout, par rapport à la gravité exceptionnelle de ses crimes contre les enfants, je considère que mon coup de poing est dérisoire, même pas un acompte. Il aurait bien mérité ma folie vengeresse, au fond, il n'aurait pas volé les coups les plus bas que je pourrais lui faire subir en guise d'expiation. Il me faut un moment pour me raisonner et reprendre un peu mes esprits. Sandale, il est tellement out de toute façon qu'il n'aurait aucune conscience des sévices supplémentaires à ma disposition.

Qu'est-ce que je fais, maintenant, de cette carcasse d'orignal? C'est comme à la chasse, cette aventure-là: c'est lorsque la grosse bébête est abattue que la misère commence. Je suis rassuré tout de même, mon bras reprend peu à peu ses fonctions et il ne me reste qu'une douleur sourde au poignet, plus supportable. Je n'ai rien de cassé, je crois, mais attendez tout de même quelques jours avant de me proposer un match de tennis.

Ayant attrapé mon trophée sous les bras, je hale tant que je peux. Ça vient, mais lentement. Centimètre par centimètre. Il est lourd, le verrat disjoncté; cent cinquante kilos au moins. En faisant osciller le tronc d'un côté et de l'autre, j'obtiens de meilleurs résultats. Comme je n'ai pas trop long à lui faire parcourir, je me fouette le courage et tire encore, jusqu'à ramener le corps flasque dans la serre du milieu, par l'ouverture béante de la partie arrière.

Le radiateur électrique peine en vain pour vaincre le froid et ramener l'air à la température de consigne. Déjà, l'intérieur avoisine le point de congélation. Une tablette près de la porte me tend le moyen d'immobiliser mon adversaire pour un moment. Il s'agit d'un gros rouleau de fil de nylon aux fibres blanches et bleues qui sert à supporter au besoin les plantes grandissantes. Il y en a une quantité indéterminée dans cette bobine enroulée comme de la corde pour les anciennes moissonneuses-lieuses, qui se dévide par l'intérieur. Un couteau à gypse placé au même endroit me permet d'en prélever deux sections de plusieurs mètres.

Après avoir retourné le baleineau toujours inanimé, j'attache solidement les mains derrière le dos, en faisant plusieurs tours de corde et plusieurs nœuds successifs. Je vérifie le pouls au passage : il bat régulièrement. Il s'en remettra, de sa commotion, mais il aura certainement mal au bloc pendant quelques jours.

Je fais subir aux pieds le même sort qu'aux membres antérieurs. Ainsi saucissonné, ce formidable char d'assaut sera parfaitement à l'aise pour attendre le secours particulier que je vais lui envoyer sous peu.

Encore un détail, cependant. Je ne vais pas le laisser geler ainsi. Je découpe un large pan de polyéthylène à même le mur arrière; l'ayant replié en deux, je recouvre le dormeur et le borde consciencieusement, en laissant dépasser la tête. Le sol est encore chaud et cet édredon improvisé suffira à lui assurer une bonne suée. Excellent pour évacuer les humeurs rances. Et pour retrouver la ligne, aussi.

Vite, je termine mon travail. Je coupe à nouveau le courant et vais traiter l'autre serre. Même procédé expéditif: découpage du mur arrière et neutralisation de l'unité de chauffage. Cinq minutes plus tard à peine, j'ai récupéré ma chaîne et ma douille de mécanicien et je quitte les lieux par le chemin qui a permis mon intrusion.

Aucune mauvaise rencontre, mais je réalise, avec les nerfs qui retombent, que quelque chose de poisseux s'est répandu sous la manche de mon manteau, à l'endroit où le poignard de Sandale a entaillé largement le tissu: du sang, à coup sûr, je ne vois vraiment pas ce que ce pourrait être d'autre. La blessure, d'ailleurs, brûle un peu.

Je ne m'en fais pas avant d'avoir évalué le désastre sous un éclairage approprié. Junie sera certainement consentante, dans quelques instants, à *becquer bobo*.

Chapitre 18

Re-re-Junie

Dix-huit heures trente. Je franchis le seuil, exténué. Tout de suite, je me sens bien, c'est comme un apaisement qui me gagne chaque fois que je pénètre dans cette maison alors que la présence de Junie lui confère une âme. Je comparerais cela au recueillement d'une chapelle, si ce n'était du bruit : ce vacarme familier, expression de l'énergie avec laquelle ma muse s'active, elle pourtant d'apparence si frêle et qui donne l'impression de respirer le calme et la sérénité tranquille.

Car du bruit, elle en fait. Présentement, elle est à la cuisine, à la préparation du souper promis. Les portes d'armoires claquent comme ses talons sur les tuiles de céramique et les casseroles s'entrechoquent si bien que tu te croirais au camp scout estival quand tous les louveteaux en même temps se sustentent à la gamelle. Y a rien à changer à ça, c'est sa nature de secouer les chaudrons. Pour vous servir l'un des derniers nés parmi les lieux communs actuels, celui dont tout le monde, notamment les politiciens et les chefs syndicaux, se gargarisent à qui mieux mieux de ce temps-ci, elle est équipée d'une transmission à deux vitesses : point mort et surmultipliée. Quand elle s'affaire, ça déménage et ça s'entend.

Pour ajouter des harmoniques au tapage, elle se parle toute seule, pense et commente tout haut, s'exclame d'enthousiasme, fait des oh! de surprise et des ah! de dépit, ainsi que d'autres interjections impossibles à exprimer par l'écriture. Une vraie pile à pleine charge! Ça fait des étincelles de fête nationale. Là où elle est, c'est vivant et fébrile. Ça te remonte le ressort du dynamisme, cette rumeur d'usine en folie qu'elle détermine à elle toute seule. Et si vous croyez que sa turbulence est ineffi-cace, venez y voir; je vous invite même à essayer de la suivre.

Y a juste lorsque je vous écris mes aventures extrêmes que son agitation sonore perturbe quelque peu ma réflexion. « Coupe donc un peu le son! » que je lui dis alors. Elle n'en continue pas moins à cogner de tout ce qui lui tombe sous la main, mais elle réserve ses commentaires à l'in-dispensable.

Je n'ai pas besoin d'intervenir, cette fois, pour imposer le silence. Un sourire comblé sur son visage de madone, elle s'approche pour me pro-poser un baiser de bienvenue des plus appétissant, mais elle ne complète pas sa démarche et son expression se transforme radicalement lorsqu'elle aperçoit l'état lamentable de mon bras gauche.

« Mon Dieu!

— Pas de familiarités, s'il vous plaît! Appelle-moi Pinson. »

Cette répartie pas neuve n'a pas l'effet de

détendre son air soudain préoccupé. Je regarde à mon tour le but vers lequel ses yeux convergent. C'est vrai que, à la lumière, ça ne paraît pas bien. La manche de mon anorak affiche une estafilade bien nette et la partie au-dessous de l'avant-bras est tout imbibée d'un liquide rouge brunissant.

«Calme-toi, c'est sûrement pas très grave.

— As-tu eu un accident?

— Si l'on peut dire. Disons que j'ai rencontré un gars à qui ma noix de coco ne revient pas.

— Tu t'es fait battre?

— Pas tout à fait. Je me suis battu.

— Hein! Je ne te crois pas! Toi, en guerrier de ruelle, en tireur de roches? Impossible!

— C'est pourtant une réalité. Tu ferais mieux de regarder ça tout de suite. On aura tout le temps de se parler après.»

Elle m'aide à m'extraire de la manche. Ma chemise se pare elle aussi de la même balafre sans bavures. Son arme d'abordage, Sandale, il doit l'affûter dans ses soirées creuses; il faut que ce soit un rasoir pour atteindre à cette performance chirurgicale. Encore heureux qu'elle n'ait atteint que mon bras, elle aurait tout aussi bien pu m'éviscérer d'un coup.

La chemise retirée à son tour révèle une entaille assez profonde, de dix centimètres de long, qui s'est attaquée de biais au triceps. Ce n'est pas si sérieux, mais ça saigne suffisamment pour préoccuper Junie et l'avant-bras s'orne presque en entier d'une croûte grenat.

«Vite, faut désinfecter ça.»

Elle m'entraîne vers la salle de bains et me somme de me déshabiller pendant qu'elle calibre le jet de la douche. J'y enfile avec une débarbouillette que sa main preste a attrapée dans l'armoire. À ma sortie, une grande serviette de plage m'accueille comme animée d'une vie propre, me sèche, me frictionne doucement pour s'enrouler finalement autour de l'extrémité antarctique de mon individu. Elle me fait asseoir sur la cuvette dont elle a rabattu le couvercle et elle examine ma plaie.

« Tu vas survivre, je crois. Ça ne saigne presque plus déjà. Mais il va falloir que tu serres les dents. J'ai bien l'intention de me venger tout de suite des négligences dont j'ai été la victime ces derniers jours. »

Elle se fait une joie de me passer sous le nez la fiole de teinture d'iode. En ayant imbibé un tampon d'ouate, elle attaque la blessure avec un rictus de tortionnaire. Ouille! Ça pique! Ça cuit, plutôt, et je m'étonne de ne pas voir monter de fumée. J'ai beau me rejeter de côté, soustraire mon membre à sa rancune, elle me rattrape avec fermeté et poursuit son travail d'asepsie jusqu'à ce qu'elle ait parcouru toute l'entaille. Lorsque le supplice prend fin, elle me fabrique un pansement maison avec les moyens du bord, lequel retient la plaie bien fermée. Comme précaution supplémentaire, elle enroule un bandage élastique autour de mon bras.

« Des points de suture auraient sans doute été préférables. Mais je pense que ça va tenir et que tu vas économiser une attente de plusieurs heures à l'urgence.

— De toute manière, la dernière chose que je souhaite, pour le moment, c'est d'afficher ce coup de bistouri. Si je dois être recousu, il est préférable pour moi d'attendre à demain.

— Si on passait à l'apéro? Rhabille-toi pendant que je te sers. J'ai hâte de savoir!»

C'est le nez dans un amontillado dont je raffole que je me retrouve assis à un coin de la table. Le bouquet puissant et vaguement métallique du xérès suffirait presque à me donner des vapeurs d'ivresse, tant je suis vanné, tellement je manque de sommeil. Junie a suspendu les préparatifs du souper et elle m'accorde un moment de pure intimité. Je joue avec sa main de femme active, je caresse sa paume ferme et rose, je suis un à un les chemins de ses doigts longs et nerveux, en m'attardant à l'anneau or et platine, jumeau du mien qu'elle porte à l'annulaire; nous l'avons échangé un soir de restaurant, sans ministre ni témoins, en nous promettant de faire ensemble un voyage aussi long qu'il nous conviendra à tous deux. La fatigue aidant, je m'émeus tout autant du souvenir de cette alliance païenne que de la proximité encore plus affectueuse que physique de ma compagne. En guise d'apéritif, elle s'est concocté un *virgin Cæsar* duquel dépasse une longue branche de céleri feuillue dans laquelle elle croque avec des onomatopées gourmandes.

«Tout a commencé avec l'appel téléphonique m'annonçant l'absence de Stéphane pour le lendemain...»

C'est l'heure des confidences. Je lui raconte tout depuis le début jusqu'à l'épisode où j'abandonne Sandale dans sa serre refroidie. Je ne lui cache rien, ni les craintes de Marilou en rapport avec l'intervention de la police, ni les ruses déployées pour compléter mes informations, ni les interventions de Strauss qu'elle ne connaît que par mes indiscrétions et dont elle ne sait trop quoi penser. Bien sûr, j'évite de lui décrire trop en détail les grâces de Roxane et je ne m'appesantis pas trop sur ma rencontre avec Candie à Montréal : question de contourner son instinct de propriété, toujours un peu suspicieux dans une relation de couple.

«Et le gros que tu as laissé inanimé? Tu attends que ses copains le découvrent?

— À l'heure qu'il est, les flics sont certainement sur place et ils s'en occupent.

— C'est toi qui les as avertis?

— En effet.

— Ta patronne ne trouvera pas ça drôle!

— Tant pis pour elle. J'ai jugé que son entreprise était suffisamment mise hors de cause par les derniers événements. J'ai évité de décliner mes coordonnées, malgré l'insistance de la réceptionniste, et il est douteux qu'ils remontent jamais jusqu'au restaurant. Les employés ne savent rien et les personnes mêlées à l'affaire ont tout intérêt à rester discrètes.»

Oui, tant pis pour Marilou. Il y a des limites aux cachotteries, aux réticences. Ce que j'ai vécu ces derniers jours, c'est quand même suffisamment important pour qu'on n'en traite pas à la légère. En outre, je n'allais pas laisser un homme, aussi dégénéré qu'il soit moralement, passer la nuit dans le froid, ficelé et sans ressources, au risque qu'il attrape la crève. J'ai mes humeurs, quand c'est justifié, mais je ne suis pas un assassin, même pas un bon tortionnaire. Sandale, je l'ai tout de même ligoté serré; sa circulation va certainement en souffrir si personne ne s'en occupe.

J'ai choisi une boîte publique suffisamment éloignée de toute circulation pour éviter d'être reconnu, avant de faire le 911. J'ai débité les numéros d'immatriculation des véhicules, l'adresse où trouver un des membres du trio, en précisant bien qu'ils devaient à tout prix pénétrer dans la propriété, par effraction au besoin, que c'était un cas de vie ou de mort. Qu'ils avaient avantage à vérifier le contenu des serres et à fouiller la maison en se méfiant des friandises, même les plus innocentes d'apparence. Qu'il leur fallait sans délai rattraper deux autres tristes personnages, possiblement dangereux, avant qu'ils ne disparaissent, sans trop faire chanter leurs sirènes pour ne pas ameuter la ville et ses habitants les moins recommandables.

J'ai raconté d'un trait ce que j'ai vu dans une école primaire et les conclusions que j'en ai tirées, en suggérant une intervention de spécialistes de la désintoxication à cet endroit, et peut-être aussi dans d'autres établissements qu'une enquête est susceptible de révéler.

Et j'ai raccroché sans attendre mon reste,

considérant en avoir dit assez pour secouer la garde et lui inspirer une intervention d'urgence. C'est à eux de réagir, maintenant. S'ils ne le font pas, sous prétexte que je ne me suis pas identifié, je ne me porte pas garant de leur incurie. Mais c'est hautement improbable.

« Le pire, dans tout ça, c'est de penser qu'il y a parmi les humains des spécimens assez vicieux pour échafauder des combines pareilles. »

Quand tu cultives depuis ta majorité le respect de l'innocence, des rapports honnêtes et francs avec ton entourage, tu ne peux pas imaginer ça. L'arnaque, ça vient de partout, on dirait. La moindre technologie qui s'impose, il y a tout un régiment de petits rusés qui vont mettre la totalité de leur ardeur rien qu'à en faire un moyen de spolier les naïfs. C'est les cartes de guichet, le téléphone, le web... Quand ça t'arrive par Internet, tu peux toujours te dire que ça vient de pays où la misère a sapé les valeurs morales, mais quand tu en trouves à ta porte, de ces bandits-là...

Est-ce une loi de la nature, que le plus fort impose ses besoins ou ses désirs au détriment du plus vulnérable? Le brigandage est-il une nécessité de notre prospérité? Le prédateur dérobe à la proie les protéines, gras et vitamines qu'elle a mis toute une vie à accumuler. Nous ne faisons pas autrement quand nous mangeons une bête. Et que les végétariens ne pavoisent pas, ils font pareil avec les plantes, qui ne sont certes pas moins vivantes que nous, les prétentieux incorrigibles du règne animal.

Mais lorsque le plus fort dévore les représentants de sa propre espèce, il y a quelque chose qui répugne absolument. Un parfum de contrenature.

Comme vous le voyez, je n'ai pas fini de digérer mes désillusions de la journée. J'en ai encore des rapports gastriques. Les pensées moroses continuent de me poursuivre et ça me soulage à peine d'en faire étalage à l'intention de Junie.

« Comment veux-tu que les jeunes puissent s'en sortir? Ils ont des prédateurs au cul à partir du moment de leur naissance. C'est à désespérer d'avoir des enfants! »

Elle se rembrunit et baisse les yeux avant de laisser tomber :

« Il est trop tard pour désespérer! »

Parti comme je suis dans mes réflexions, il me faut un moment pour retomber au sol et réaliser qu'elle vient de proférer quelque chose d'incohérent.

« Hein! Qu'est-ce que tu dis?

— Qu'il est trop tard pour se poser la question des enfants! »

J'écarquille les yeux à la recherche d'un sens à cette phrase hermétique. Je finis par y arriver, mais c'est long.

« Tu veux dire que...

— C'est ça...

— Que nous allons avoir un bébé?

— Ça semble bien parti pour ça!

— Depuis quand tu le sais?

— Mardi. Tu te souviens, mon rendez-vous chez le médecin...

— Et tu ne m'as rien dit!

— Est-ce que tu étais là pour écouter? »

Elle vient de me colmater la brèche à sottises. Je lui souris en serrant plus fort sa main, mais je reste pensif.

Ma littérature, vous me rendrez la justice d'en convenir, c'est pas le genre qu'on aborde avec la boîte de kleenex et un rouleau d'essuie-tout. Pour marquer les pages de mon livre, pas besoin d'un signet en papier buvard non plus, et il n'est d'aucune utilité de chausser ses bottes de caoutchouc avant d'en entreprendre la lecture. Je ne rêve pas de faire se liquéfier les cœurs de jeunes filles, ni de provoquer les sanglots longs des violons des matrones, en les berçant de langueurs monotones. Je ne suis personnellement pas très porté sur les hoquets convulsifs, qu'ils soient de joie ou de chagrin, et je ne fais généralement rien pour en répandre la pratique. Pas que j'aie le cœur sec, mais les yeux, oui. Juste ce qu'il faut de lubrification pour permettre aux paupières de jouer adéquatement.

Mais là, c'est trop d'émotions contradictoires. Au moment où je sors d'une succession de péripéties qui a mis à rude épreuve ma foi en l'homme, voilà que je vais contribuer à le perpétuer, avant même d'avoir pu laisser décanter mes idées noires! À peine venues, mes nouvelles convictions sont ébranlées à leur tour. Junie s'est empressée d'y donner un grand coup de balai.

Mon système n'est pas aussitôt élaboré que les tessons s'en retrouvent aux vidanges. Toute la marée contre un château de sable!

Et pourtant, je sens monter en moi une fierté irrépressible, impossible à rationaliser. Il y a un autre sentiment, aussi, à la fois fragile et robuste qui veut pousser et croître contre toute adversité, parmi les scories où je me débats présentement: ce petit être dont nous ne savons encore rien mais dont nous avons si souvent parlé, cet embryon encore insignifiant, quelques centaines de cellules indéterminées que Junie couve et réchauffe, ce rien qui donne un sens à tout, une direction à notre agitation autrement désordonnée, je l'aime déjà. Il nous faudra le protéger, oui, contre tous ceux qui pourraient lui vouloir du mal. Il devra pouvoir compter sur nous, nous devrons même prendre les devants pour le soustraire à tout ce qui le guette, dans ce monde pourri que nous nous apprêtons à lui léguer.

Mais je me sens venir des muscles, une détermination, des idées et des projets, des inspirations nouvelles et réconfortantes. Faut-il croire en la vie pour faire des enfants? Je vous laisse cette question pendant que moi...

... doucement d'abord, puis de plus en plus abondamment, sans bruit et sans mise en scène, je me mets à pleurer dans mon verre.

DISTRIBUTEURS EXCLUSIFS

Distributeur pour le Canada et les États-Unis
LES MESSAGERIES ADP
MONTRÉAL (Canada)
Téléphone : (450) 640-1234 ou 1 800 771-3022
Télécopieur : (450) 640-1251 ou 1 800 603-0433
www.messageries-adp.com

Distributeur pour la France et autres pays européens
HISTOIRE ET DOCUMENTS
CHENNEVIÈRES (France)
Téléphone : 01 45 76 77 41
Télécopieur : 01 45 93 34 70
www.histoire-et-documents.fr

Distributeur pour la Suisse
TRANSAT S.A.
GENÈVE
Téléphone : 022/342 77 40
Télécopieur : 022/343 46 46

Dépôts légaux
1er trimestre 2006
Bibliothèque nationale du Canada
Bibliothèque nationale du Québec